빠르고 재미있게
배우는 한국어

Fast & Fun Korean

for Short-Term Learners

1

Fast & Fun Korean for Short-Term Learners **1**

Written by	Kang, Seung-hae
Translated by	Chad Walker
First Published	May, 2009
3rd Printing	October, 2012
Publisher	Chung Kyu-do
Editor	Lee Suk-hee, Oh Ju-young, Oh Jeong-min
Cover Design	Bae Young-eun
Interior Design	Cho Hwa-youn, Choi Young-ran
Illustrator	Lee Dong-seung
Voice Actor	Shin So-yun, Kim Rae-whan, Mathew Rutledge

DARAKWON Published by Darakwon Inc.
211 Munbal-ro, Paju-si, Gyeonggi-do,
Republic of Korea 413-120
Tel : 02-736-2031 Fax : 02-732-2037
(Marketing Dept. ext.: 113,114 Editorial Dept. ext.: 201~204)

Price : 15,000 won (with MP3 CD)

ISBN : 978-89-5995-829-0 18710
978-89-5995-826-9 (set)

Visit the Darakwon homepage to learn about our other publications and promotions and to download the contents of the CD in MP3 format.

http://www.darakwon.co.kr
http://www.darakwon.co.kr/koreanbooks

빠르고 재미있게
배우는 한국어

Fast & Fun Korean

for Short-Term Learners

Kang, Seung-hae

DARAKWON

Preface

현재 국내 한국어 교육기관 교재의 대부분은 1년 반에서 2년 정도의 교수 학습 기간을 기준으로 하여 개발되고 있다. 이처럼 정규 한국어 교육기관의 일반 목적 한국어 교재들은 집중적인 수업을 전제로 상당히 많은 학습 시간을 요구한다. 그러나 한국어 학습자들 중에는 비교적 짧은 기간 동안 한국에 체류하면서 한국에서의 일상생활을 즐기는 학생들이 있기 때문에 이들을 위한 단기 학습용 교재가 필요한 실정이다. 이러한 필요성에 의해 만들어진 이 책은 단기 체류 외국인 학습자들이 한국에서 생활하면서 필요한 한국어 표현과 어휘, 문형을 중심으로 다양한 상황에서의 전형적인 대화, 회화 연습, 과제를 통해 학습자들이 유용하게 활용할 수 있도록 구성하였다.

일반 목적 한국어 교육과정을 긴 마라톤에 비유한다면 이 책을 사용하는 학습 과정은 단거리 경주에 비유될 것이다. 마라톤은 마라톤대로 결승점에 도달했을 때 얻을 수 있는 것이 있고, 단거리 경주는 짧은 시간이라는 조건 때문에 얻는 것이 상대적으로 다를 수밖에 없을 것이다. 그것은 짧은 시간 안에 전력 질주해야 하고 그 과정에서 순간순간의 의사소통 목적에 맞추어 때로는 상대적으로 불필요한 문법 요소나 형태적인 교수 학습의 내용 등은 과감하게 제외되어야 함을 의미한다. 따라서 이 책에서는 짧은 기간 한국에 체류하면서 접하게 될 일상생활에 필요한 상황을 바탕으로 의사소통의 기능과 과제 등에 초점을 맞추어 내용을 구성하고자 하였다. 물론 집필자에 따라 우선적으로 필요하다고 판단되는 상황 대화, 표현, 문형 등의 순위가 달라질 수 있을 것이다. 그러나 이 책에서는 한국어를 접해 본 적이 없는 학습자가 한국에 와서 한국어를 배우는 단계로부터 출발하여 단기간(1권당 약 3주 정도)에 도달하게 될 수준을 목표로 설정하여 이에 필요한 상황을 선정하였다.

이 책이 짧은 기간 동안 한국 생활을 하면서 즐겁고 재미있게 한국어를 배우고자 하는 학생들에게 유익한 교재가 되기를 진심으로 바란다. 뿐만 아니라 이 책을 사용하여 가르칠 교사들에게도 교수 학습 차원에서 부담이 되지 않으며, 자연스럽게 교재 구성에 따라 가르치면서 즐거움을 얻을 수 있는 교재가 되길 바란다.

어학 교재를 집필한다는 것은 다른 강의 교재를 집필하는 것과 달리 많은 자료 수집이 필요하고 다양한 아이디어가 필수적이다. 이 책을 집필하는 과정에서 자료 수집, 내용 구성 등을 위해 큰 도움을 준 광운대학교 한국어 강사, 이진경 선생과 박지순 선생에게 고마움을 전한다. 내내 즐거운 마음으로 현장 강사로서의 경험에 기초하여 실제 수업에서 활용할 상황을 고려하여 매 단원의 고민을 함께 하였다. 또한 이 책의 번역 작업을 꼼꼼히 도와준 채드 워커 씨에게도 고마움을 전한다.

끝으로 다양하고 유익한 한국어 교재를 편찬하여 널리 알리는 일에 사명감을 가지고 모범을 보이는 다락원 식구들에게 고마움을 전한다. 부족한 이 책을 낼 수 있도록 지원해 주신 다락원의 정규도 사장님께 감사 드리며, 늘 시간에 맞추지 못하는 집필자에게 언제나 웃는 낯으로 응원을 아끼지 않았던 한국어출판부 편집진에게 진심으로 감사의 말을 전한다.

강승혜

Most current Korean language teaching materials developed by domestic Korean language institutions were designed for study programs spanning one and a half to two years. Such materials designed for standard Korean language programs are compiled on the premise that learners will be studying Korean intensively, requiring a great number of study hours to master the material. However, because some learners of Korean reside in Korea on a short-term basis, there is a need for teaching materials better suited to their situation. ***Fast & Fun Korean*** addresses that need, centering on the expressions, vocabulary, and grammatical structures most necessary for a short-term stay in Korea. The series provides useful and realistic conversation practice and exercises to match a variety of everyday situations encountered in Korea.

If general purpose Korean language programs can be described as "marathons," then the ***Fast & Fun Korean*** series is perhaps best described as a "short-distance sprint." While marathon runners obtain a certain sense of accomplishment once they cross the finish line, short-distance sprint runners obtain a different sense of accomplishment because the nature of the race is different. In terms of language study, this means short-distance sprint learners must learn as quickly as possible, that is, they must learn to communicate effectively in the target language at each step along the way, while also doing away with relatively unnecessary grammar and exercises. To this end, the content of ***Fast & Fun Korean*** focuses on exercises necessary for communicating in everyday situations in Korea. With the understanding that the selection and order of such situations and the related grammar and patterns will differ among textbook authors, ***Fast & Fun Korean*** was designed for learners who have come to live in Korea but have no previous experience learning Korean. With such learners in mind, situations were chosen that allow beginners to learn to communicate in Korean over a short period of just a few months (approximately three weeks for each volume).

It is my sincere hope that ***Fast & Fun Korean*** will be a useful series of textbooks for all people who wish to enjoy learning the Korean language, even though they may only reside in Korea temporarily. Furthermore, I hope that the language teachers who use ***Fast & Fun Korean*** as their textbook will find the material easy to use, enjoyable, and interesting from an instructional point of view.

The compilation of language textbooks requires a great deal more data collection and brainstorming compared to the creation of normal course materials. I would like to express my thanks to Lee Jin-gyeong and Park Ji-sun, both current Korean language instructors at Kwangwoon University, for assisting in data collection and content structure. They enthusiastically teach Korean day in and day out, and their real classroom experiences provided invaluable insights when designing the situations for each chapter of ***Fast & Fun Korean***. I also would like to extend my heartfelt thanks to Chad Walker for elaborately translating the necessary text into English.

In conclusion, I would like to thank everyone at Darakwon for their strong sense of duty toward the compilation and wide distribution of a variety of useful Korean language teaching materials. In addition, I express my gratitude to the president of Darakwon, Chung Kyu-do, for his support in making this completed textbook series a reality, and I sincerely thank the editors of the Korean Editorial Department for their unending encouragement and patience. Words cannot express the strength we gained from seeing their constant smiling faces as we worked to finish this project.

Kang, Seung-hae

How to Use This Book

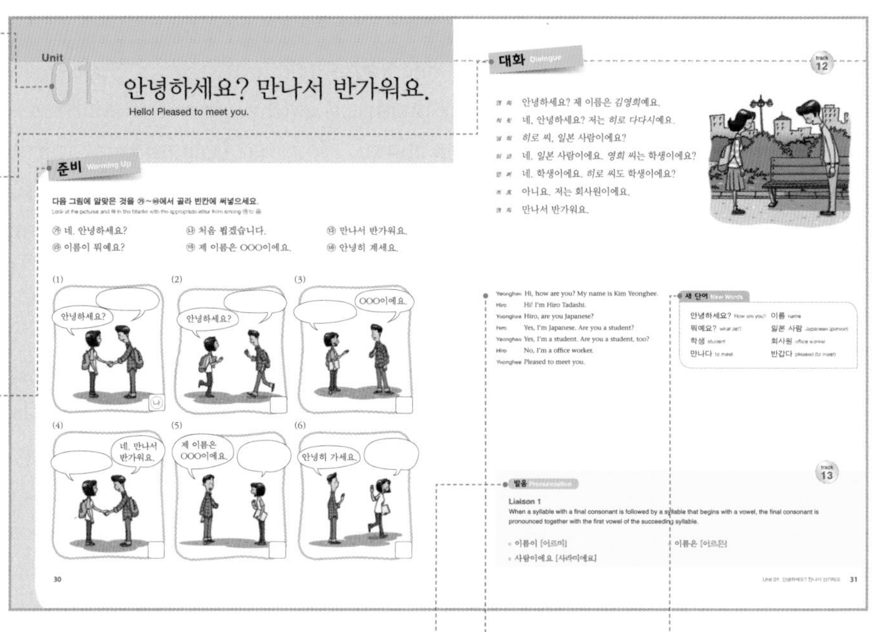

Title

A representative phrase is chosen from the dialogue introduced in each unit and used as the title.

Dialogue

Each unit includes a model dialogue depicting a typical everyday situation in Korea. The dialogue centers on often-used conversational expressions, and a graphical representation of the situation is included next to the dialogue.

Warming Up

The first page of each unit includes a "Warming Up" section that introduces the vocabulary and expressions to be learned in that unit. Depending on the unit, this section centers on either practice of the unit's necessary expressions or its necessary vocabulary.

Dialogue Translation (English)

Below each unit's Dialogue, a translation in the learner's language (English) is provided for comparison and reference.

Pronunciation

Pronunciations from the Dialogue that require explanation are introduced, and additional examples are given. Explanations and examples of pronunciation rules not appearing in the Dialogue are also included.

New Words

New words introduced in the Dialogue are listed along with their translations in the learner's language (English).

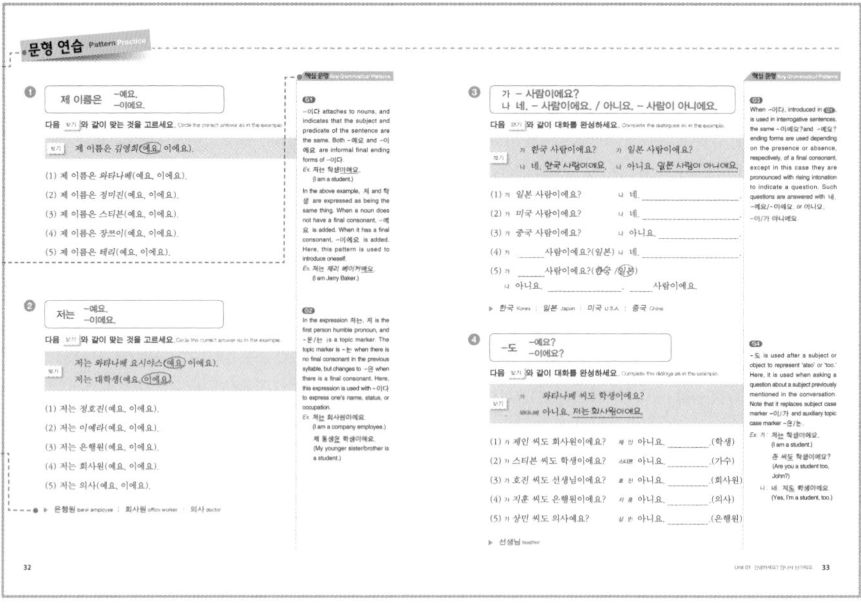

Pattern Practice

Four patterns from each unit are introduced. These are not individual grammar points or items, but grammatical patterns that include a 보기 (example) to show how each pattern is used.

Key Grammatical Patterns

Each grammar pattern introduced in Pattern Practice is explained as a Key Pattern. When necessary, a more detailed analysis is included along with examples and their English translations.

Additional New Words

Additional new words introduced in Pattern Practice are listed below the practice exercises of each pattern.

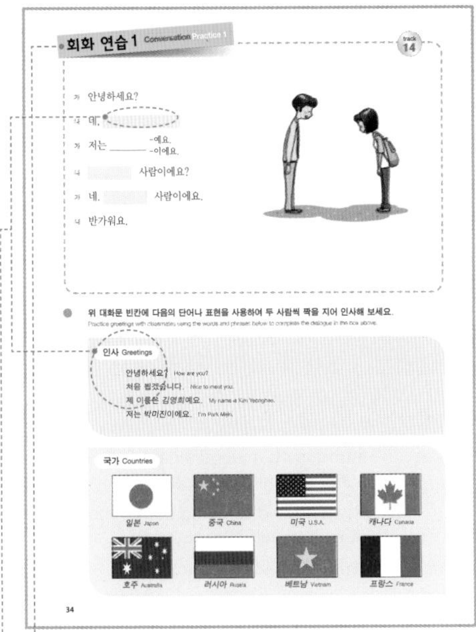

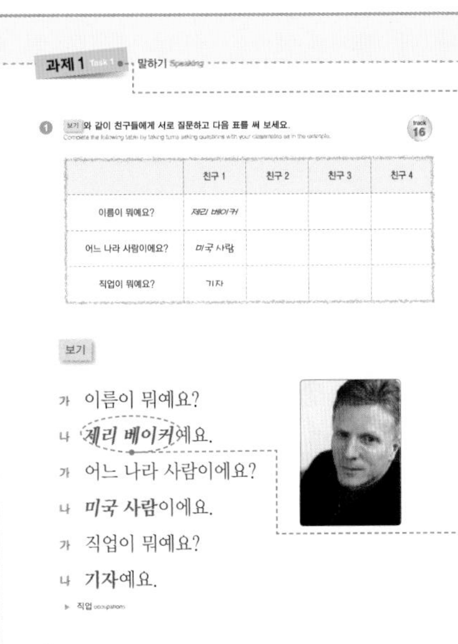

Task 1 - Speaking

Task 1 is a "Speaking" task centering on the expressions and patterns learned in the unit and designed for classroom practice in pairs. Each Task 1 includes a 보기 (example) showing how it should be completed. For Unit 1 to Unit 6, each Task 1 includes two exercises, while for Unit 7 and beyond there is only one. Two speaking exercises are included in the first six units because the vocabulary needed for Task 2 (Reading & Writing) and Task 3 (Listening) is still limited.

Italic Letters

Proper nouns (names of people and locations) and foreign words are written in Italics so that learners can easily discriminate between such words and normal Korean vocabulary.

Conversation Practice 1, 2

Whereas the Key Patterns from each unit are practiced in Pattern Practice, in the Conversation Practice sections the basic framework of the unit's model dialogue is used for practice with different vocabulary and expressions so the learner can better memorize the model dialogue.

The colored boxes in the model dialogue match the colors of the boxes of various phrases and words below the dialogue so learners can easily find words to substitute into the dialogue during practice. A recording of each unit's model dialogue is provided in the MP3 materials accompanying the text.

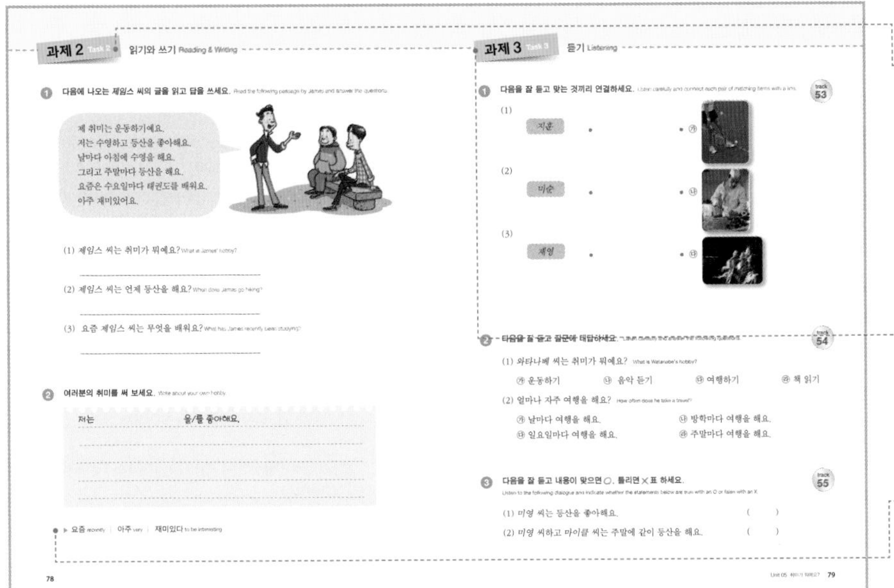

Task 2 - Reading & Writing

Task 2 comprises reading and writing exercises centering on the expressions and patterns learned in each unit. The reading exercises focus on comprehension of a text, while the writing exercises focus on the production of a written text using those expressions and patterns.

Task 3 - Listening

Task 3 comprises listening texts centering on the vocabulary, expressions, and patterns learned in each unit to further reinforce the uni's content.

Additional New Words

New words necessary for the Reading Tasks are also introduced under the questions following the tasks.

Table of Contents

The Korean Alphabet

1. Vowels
2. Consonats
3. Syllables
4. Basic (Simple), Aspirated (Strong), and Tense (Doubled) Sounds
5. Final Consonants

Unit	Title	Study Goals	Topic/Function	Grammatical Patterns	Tasks and Activities
1	안녕하세요? 만나서 반가워요. Hello! Pleased to meet you.	• Learn expressions common in simple greetings. • Introduce one's name and occupation.	Greetings/ Introducing	–이에요/예요 –사람이에요? –도	• Discussing each other's names, nationalities, and occupations • Introducing a friend's name, nationality and occupation • Reading and listening comprehension of written self-introductions • Writing a self-introduction
2	동생이 둘 있어요. I have two younger siblings.	• Learn to use family-related words. • Learn to use number words to introduce one's family members.	Family/ Introducing	–이/가 있어요/없어요 –하고– –에 계세요/있어요 –은/는 없어요	• Discussing one's family • Introducing one's family using photographs • Reading and listening comprehension of written family introductions • Introducing one's family in writing
3	기숙사가 어디에 있어요? Where is the dormitory?	• Learn the names of buildings and places. • Learn to describe the locations of buildings and places.	Location/ Describing	–이/가 어디예요? –은/는요? –은/는 –에 살아요 –이/가 어디에 있어요?	• Describing the locations of places using pictures • Describing the locations of objects using pictures • Reading and listening comprehension of text about the locations of places and objects • Describing the area where one lives in writing
4	생일이 언제예요? When is your birthday?	• Learn the appropriate use of vocabulary related to specific dates and days of the week. • Learn to suggest doing something to a friend	Birthday/ Suggesting	–이/가 언제예요? –(에) 시간 있어요? –이/가 무슨 요일이에요? –ㄹ/을까요?	• Discussing birthdays, other dates, and days of the week • Discussing specific dates referring to an event calendar • Reading and listening comprehension of a month's special events • Writing out one's plan for a week
5	취미가 뭐예요? What is your hobby?	• Learn to use hobby-related vocabulary. • Learn to describe one's hobby.	Hobbies/ Introducing	–을/를 좋아해요 무슨 –을/를 좋아해요? –기예요 –마다 –을/를	• Discussing hobbies with a friend • Introducing one's hobby • Reading and listening comprehension of descriptions of hobbies • Writing about one's hobby
6	순두부하고 된장찌개 주세요. We'll have sundubu and doenjang jjigae, please.	• Learn the names of Korean foods and how to discriminate between them. • Learn to order food at a restaurant.	Food/ Ordering	– (좀) 주세요 –하고 – 주세요 –을/를 먹고 싶어요 –고 싶어요 –ㄴ/은 N	• Ordering food from various restaurant menus • Discussing weekend plans • Reading and listening comprehension of text introducing one's favorite foods • Writing about one's favorite foods and restaurants

Unit	Title	Study Goals	Topic/Function	Grammatical Patterns	Tasks and Activities
7	집에서 쉬었어요. I relaxed at home.	• Learn vocabulary related to daily life. • Learn how to use the past tense to describe what one did over the weekend.	Weekend/ Describing	-와/과 -에 갔어요 -에서 -(었/았/였)어요 -에 뭘 -었어요?	• Discussing what one did over the weekend • Reading and listening comprehension of text about the weekend • Listening comprehension about what one did over the weekend. • Writing about what one did over the weekend
8	백화점 정문 앞에서 세 시에 만나요. Let's meet at 3 o'clock in front of the Department Store.	• Learn to tell time. • Learn to make arrangements at specific times and locations.	Arrangements/ Suggesting	-(으)세요? (같이) -ㄹ/을래요? 어디서 -ㄹ/을까요? -고	• Making arrangements to meet (at a particular place, time) a friend over the weekend • Reading comprehension of daily and weekly routines • Listening comprehension of daily and weekly routines • Writing about one's own daily routine
9	2호선에서 3호선으로 갈아타야 해요. You should transfer from subway Line 2 to Line 3.	• Learn to use vocabulary related to transportation and means of transportation. • Learn to give directions incorporating transportation vocabulary.	Transportation/ Giving Directions	-(어/아/여)야 해요 -(어/아/여)서 -(으)면 돼요 -은/는 어떻게 가요?	• Discussing directions to a destination using a subway map • Reading comprehension of email text • Listening comprehension of transportation related text • Writing email to a friend describing your arranged meeting place
10	좀 큰 걸로 주세요. Please give me a bigger one.	• Learn to use vocabulary related to everyday items and their collocations. • Learn how to ask for the item you want when shopping.	Shopping/ Requesting	이- 얼마예요? -어/아/여 보세요 -ㄴ/은/는 N -(으)로 주세요	• Discussing plans to buy gifts for one's family • Reading comprehension of text about this year's shopping trends • Listening comprehension on the prices of goods and expressions used when shopping • Writing about the things one bought when shopping
11	영희 씨 계세요? Is Yeonghee there?	• Learn to use expressions related to using the telephone. • Learn to use vocabulary and expressions appropriate for making telephone calls.	Telephone/ Calling	저, -계세요/있어요? -계세요/있어요? 저 -인데요 - 때문에	• Suggesting something to a friend over the telephone • Reading comprehension of telephone conversations and related text • Listening comprehension of telephone conversations • Writing about a topic in the form of a telephone conversation
12	제주도에 가 봤어요? Have you been to Jeju Island?	• Learn the names and characteristics of famous places in Korea. • Suggest a travel plan to a friend.	Travel/ Suggesting Conjecture	-어/아/여 봤어요? -(으)려고 해요 -(어/아/여)도 돼요? -ㄹ/을 거예요	• Discussing vacation plans • Reading comprehension of stories about past experiences • Listening comprehension of the telling of past experiences • Writing about a place in Korea one has visited

Contents

Appendix

The Korean Alphabet

Hangeul is the name of the unique Korean alphabet created in 1446 by King Sejong the Great and scholars of the time. Until that time Koreans had borrowed Chinese characters to express their language in writing. At that time the nobility class, or "yang-ban"(양반), could express their thoughts by writing in Chinese characters, but for the common people it was both difficult and time-consuming to learn all of the necessary characters. King Sejong, feeling pity for his populace, worked together with scholars to devise an alphabet that could be easily learned by everyone. They completed their work in 1443, and after a few years of experimental use, King Sejong officially announced the new alphabet in 1446. This original alphabet included 17 consonants and 11 vowels, which, when combined in various combinations, could represent all of the sounds of the Korean language.

King Sejong

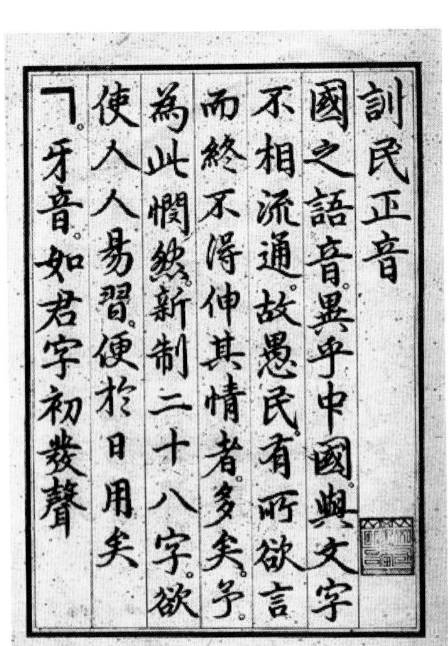

訓民正音
國之語音異乎中國與文字
不相流通故愚民有所欲言
而終不得伸其情者多矣予
爲此憫然新制二十八字欲
使人人易習便於日用矣
ㄱ牙音如君字初發聲

Hunminjeongeum

1. Vowels

The three basic vowel forms were patterned after images of "round heaven," "flat earth," and "standing human," and represented by ・, ㅡ, and ㅣ, respectively. The positive, or "Yang," vowels were created by adding ・ to the right side of ㅣ and to the top of ㅡ, resulting in ㅏ and ㅗ, while the negative, or "Yin," vowels were created by adding ・ to the left side of ㅣ and the bottom of ㅡ, resulting in ㅓ and ㅜ. Together, these formed the first four vowels of the new alphabet. Next, one extra stroke was added to each of these to form the two positive vowels ㅑ and ㅛ, and the two negative vowels ㅕ and ㅠ.

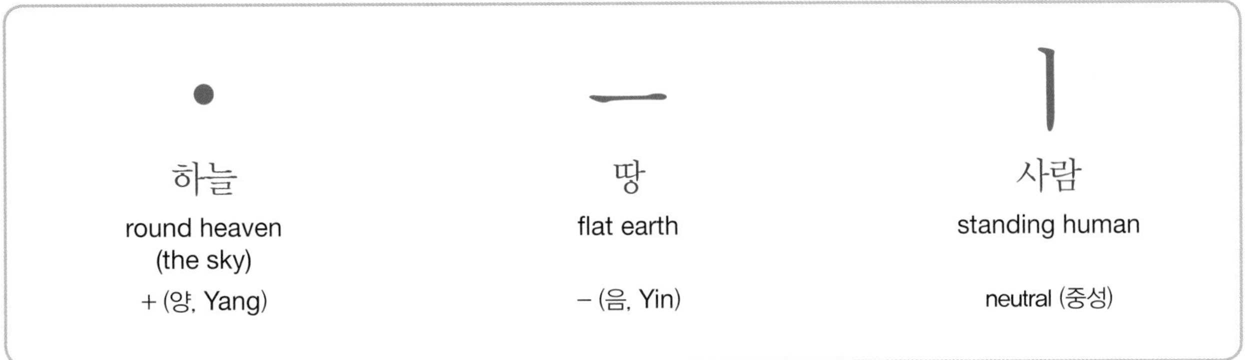

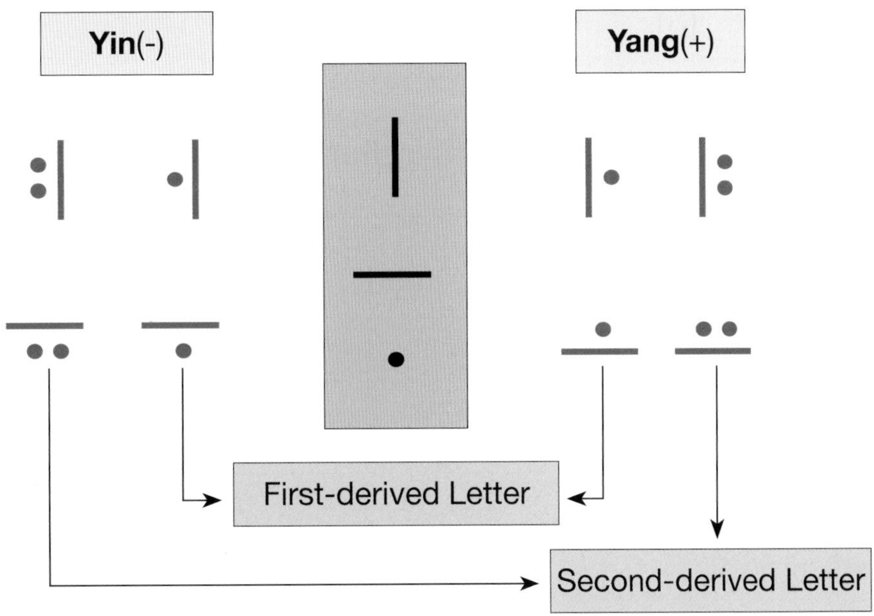

Korean has 10 basic vowels (ㅏ, ㅑ, ㅓ, ㅕ, ㅗ, ㅛ, ㅜ, ㅠ, ㅡ, ㅣ) and 11 compound vowels (ㅗ, ㅒ, ㅔ, ㅖ, ㅘ, ㅙ, ㅚ, ㅝ, ㅞ, ㅟ, ㅢ). The pronunciation and way to write each are as follows. There are two basic principles when writing vowels: "from left to right" in the case of ㅡ, and "from top to bottom" in the case of ㅣ.

(1) Basic Vowels

track 01

Vowel	Sound Value	Pronunciation	Stroke Order
ㅏ	[a]	as in "ah"	① ②
ㅑ	[ja]	as in "yard"	① ② ③
ㅓ	[‰]	as in "ought"	① ②
ㅕ	[j‰]	as in "yawn"	① ② ③
ㅗ	[o]	as in "oh"	① ②
ㅛ	[jo]	as in "yoghurt"	① ② ③
ㅜ	[u]	as in "food"	① ②
ㅠ	[ju]	as in "you"	① ② ③
ㅡ	[ɨ]	as in "given"	①
ㅣ	[i]	as in "steel"	①

(2) Compound Vowels

track 02

Vowel	Sound Value	Pronunciation	Stroke Order
ㅐ	[¡]	as in "cat"	
ㅒ	[j¡]	as in "yak"	
ㅔ	[e]	as in "pen"	
ㅖ	[je]	as in "yes"	
ㅘ	[wa]	as in "wine"	
ㅙ	[w¡]	as in "wag"	
ㅚ	[ö/we]	as in "weight"	
ㅝ	[wo]	as in "walk"	
ㅞ	[we]	as in "wedding"	
ㅟ	[ü/wi]	as in "we"	
ㅢ	[ɨi]	as in "gooey"	

Phonetically speaking, Korean vowels are divided into 10 monophthongs (short vowels) (ㅏ, ㅓ, ㅗ, ㅜ, ㅡ, ㅣ, ㅐ, ㅔ, ㅚ, ㅟ) and 11 diphthongs (vowel combinations) (ㅑ, ㅕ, ㅛ, ㅠ, ㅒ, ㅖ, ㅘ, ㅙ, ㅝ, ㅞ, ㅢ). When pronouncing a single monophthong, the shape of the lips and position of the tongue do not change; monophthongs can thus be differentiated by the degree to which the mouth opens and the position of the tongue. However, in the case of diphthongs, the shape of the lips and position of the tongue change as the vowel is pronounced. Note, however, that ㅚ and ㅟ are often pronounced as the diphthongs [we] and [wi], respectively.

Diphthongs					
Letters		Sound Value	Letters		Sound Value
ㅑ	ㅣ + ㅏ	[ja]	ㅘ	ㅗ + ㅏ	[wa]
ㅕ	ㅣ + ㅓ	[j‰]	ㅙ	ㅗ + ㅐ	[w¡]
ㅛ	ㅣ + ㅗ	[jo]	ㅝ	ㅜ + ㅓ	[wo]
ㅠ	ㅣ + ㅜ	[ju]	ㅞ	ㅜ + ㅔ	[we]
ㅒ	ㅣ + ㅐ	[j¡]	ㅢ	ㅡ + ㅣ	[ɨi]
ㅖ	ㅣ + ㅔ	[je]			

2. Consonants

Five basic consonant letters (ㄱ, ㄴ, ㅁ, ㅅ, ㅇ) were created based on the shape of the articulatory organs involved in their production. Accordingly, as shown in the table below, ㄱ represents the root of the tongue blocking the oral cavity, ㄴ the tongue touching the front of the roof of the mouth, ㅁ the shape of the opened lips, ㅅ the shape of the mouth when blowing air between the teeth, and ㅇ the oral cavity opened wide. Further, with the addition of one or two strokes to these basic consonants, the additional consonants ㅋ, ㄷ, ㅌ, ㅂ, ㅍ, ㅈ, ㅊ, and ㅎ were created, while the compound consonants ㄲ, ㄸ, ㅃ, ㅆ, and ㅉ were created by combining two consonants side by side. With the inclusion of the additional consonant ㄹ, there are a total of 19 consonants used in modern Korean.

Articulatory Organs	Basic Consonants		Aspirated Consonants
	ㄱ		ㅋ
	ㄴ	ㄷ	ㅌ
	ㅁ	ㅂ	ㅍ
	ㅅ	ㅈ	ㅊ
	ㅇ	ㆆ*	ㅎ

ㆆ* : Not present in modern Korean.

The sound, pronunciation, and stroke order for each of the Korean consonants are shown below.

(1) Basic Consonant

Consonant	Sound Value	Pronunciation	Stroke Order
ㄱ	[k], [g]	[k] as in "park" [g] as in "good"	①ㄱ
ㄴ	[n]	[n] as in "moon"	①ㄴ
ㄷ	[t], [d]	[t] as in "get" [d] as in "deer"	①②ㄷ
ㄹ	[r], [l]	[r] as in "ramen" [l] as in "foolish"	①②③ㄹ
ㅁ	[m]	[m] as in "mom"	①②③ㅁ
ㅂ	[p], [b]	[p] as in "pop" [b] as in "bee"	①②③④ㅂ
ㅅ	[s], [ʃ]	[s] as in "sound" [ʃ] as in "she"	①②ㅅ
ㅇ	[\]	[\] as in "song"	①ㅇ
ㅈ	[tʃ], [d,]	[d,] as in "job"	①②ㅈ
ㅊ	$[tʃ^h]$	$[tʃ^h]$ as in "chapel"	①②③ㅊ
ㅋ	$[k^h]$	$[k^h]$ as in "kind"	①②ㅋ
ㅌ	$[t^h]$	$[t^h]$ as in "tip"	①②③ㅌ

ㅍ	[p^h]	[p^h] as in “peace”	
ㅎ	[h]	[h] as in “hide”	

(2) Compound Consonants

Consonant	Sound Value	Pronunciation	Stroke Order
ㄲ	[k«]	is similar to the sound of the “g” in gotcha when it is pronounced strongly.	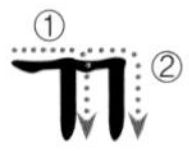
ㄸ	[t«]	is similar to the sound of the stressed “t” with more tension in the vocal cords.	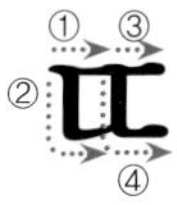
ㅃ	[p«]	is similar to the sound of the stressed “p” with more tension in the vocal cords.	
ㅆ	[s«]	is similar to the sound of the stressed “s” with more tension in the vocal cords.	
ㅉ	[tʃ«]	is similar to the sound of the “ch” in gotcha when it is pronounced strongly.	

3. Syllables

When the basic vowels introduced earlier are used by themselves with no consonants, they are combined with the consonant ㅇ to form complete syllables. In this case the initial ㅇ is not voiced, but silent. Korean has the following syllable structures.

(1) Vowel (V)

(V) syllables consist of a single vowel. There are two main types, those formed from the vertical vowel ㅣ (아, 어), and those formed from the horizontal vowel ㅡ (오, 우, 으, and 이). The stroke order for syllables follows the same two principles used when writing the consonants and vowels: "left to right" and "top to bottom."

ㅇ + ㅏ = 아

ㅇ + ㅜ = 우

(2) Consonant (C) + Vowel (V)

(C)+(V) syllables consist of one consonant and one vowel. There are two types, those that combine horizontally and those that combine vertically. The vertical syllable 도, for example, is written with ㄷ above ㅗ instead of beside it (ㄷㅗ). In this way, consonants and vowels are combined to form single-character syllables. The syllable 고 is written according to the same principle, that is, writing ㄱ above ㅗ to form a single character instead of writing them separately as ㄱㅗ.

ㄱ + ㅏ = 가

ㄷ + ㅗ = 도

(3) Consonant (C) + Vowel (V) + Consonant (C)

(C)+(V)+(C) syllables consist of a consonant and vowel followed by a final consonant (called 받침).

ㄱ + ㅏ + ㅇ = 강

ㄷ + ㅗ + ㄴ = 돈

(4) Consonant (C) + Vowel (V) + Double Consonant (CC)

(C)+(V)+(CC) syllables include a consonant and vowel followed by a final consonant consisting of a double consonant.

ㅂ + ㅏ + ㄲ = 밖
ㅂ + ㅏ + ㄹㅂ = 밟

ㄷ + ㅏ + ㄹㄱ = 닭
ㅎ + ㅏ + ㄹㅌ = 핥

4. Basic (Simple), Aspirated (Strong), and Tense (Doubled) Sounds

In addition to the basic sounds (ㄱ, ㄷ, ㅂ, ㅅ, ㅈ), Korean also has aspirated (ㅋ, ㅌ, ㅍ, ㅊ) and tense (ㄲ, ㄸ, ㅃ, ㅆ, ㅉ) sounds, summarized below.

Simple Sounds	ㄱ	ㄷ	ㅂ	ㅅ	ㅈ
Aspirated Sounds	ㅋ	ㅌ	ㅍ		ㅊ
Tense Sounds	ㄲ	ㄸ	ㅃ	ㅆ	ㅉ

5. Final Consonants

Final consonants that form the end of syllables are pronounced somewhat differently than initial consonants. While initial consonants are pronounced fully according to their original phonetic value along with the vowels that follow them, final consonants are reduced to the representative sound of their respective organ of articulation.

track 03

Final Consonants			Sound Value	Examples
ㄱ	ㅋ	ㄲ	[k]	각, 부엌
ㅂ	ㅍ		[p]	입, 잎
ㄴ			[n]	눈
ㅁ			[m]	봄
ㄹ			[l]	길
ㅇ			[\]	영
ㄷ	ㅌ		[t]	낟, 낫, 낮, 낯, 낱, 낳, 났
ㅅ		ㅆ		
ㅈ	ㅊ			
ㅎ				

In the case of double consonants, there are two possible rules of pronunciation: either the first consonant is pronounced as the representative sound, or the second consonant is pronounced. For example, syllables ending in ㄳ, ㄶ, ㄵ, ㄼ, ㄾ and ㅄ only the first consonant is voiced, while in syllables ending in ㄺ, ㄻ, ㄿ only the second consonant is voiced.

① When pronouncing the first consonant in double final consonant. 

삯 [삭]　　　많다 [만타]　　　앉다 [안따]

여덟 [여덜]　　　핥다 [할따]　　　값 [갑]

② When pronouncing the second consonant in double final consonant. 

닭 [닥]　　　삶 [삼]　　　읊다 [읍따]

Practice Writing Korean Letters

1. **다음을 읽고 써 보세요.** Read and practice writing the following letters.

track 06

아	아			요	요		
야	야			우	우		
어	어			유	유		
여	여			으	으		
오	오			이	이		

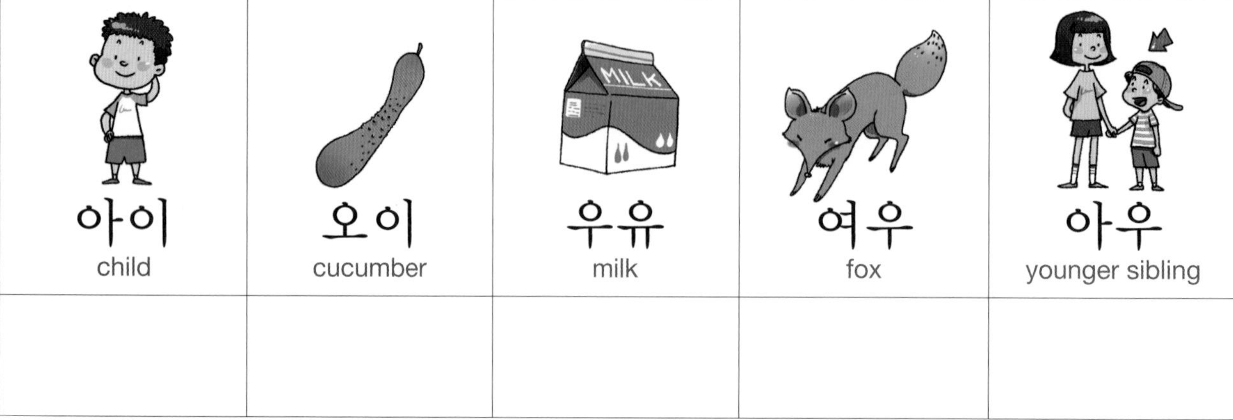

track 07

	ㅏ	ㅑ	ㅓ	ㅕ	ㅗ	ㅛ	ㅜ	ㅠ	ㅡ	ㅣ
ㄱ	가				고			규		
ㄴ		냐					누			
ㄷ				뎌					드	
ㄹ			러			료				리

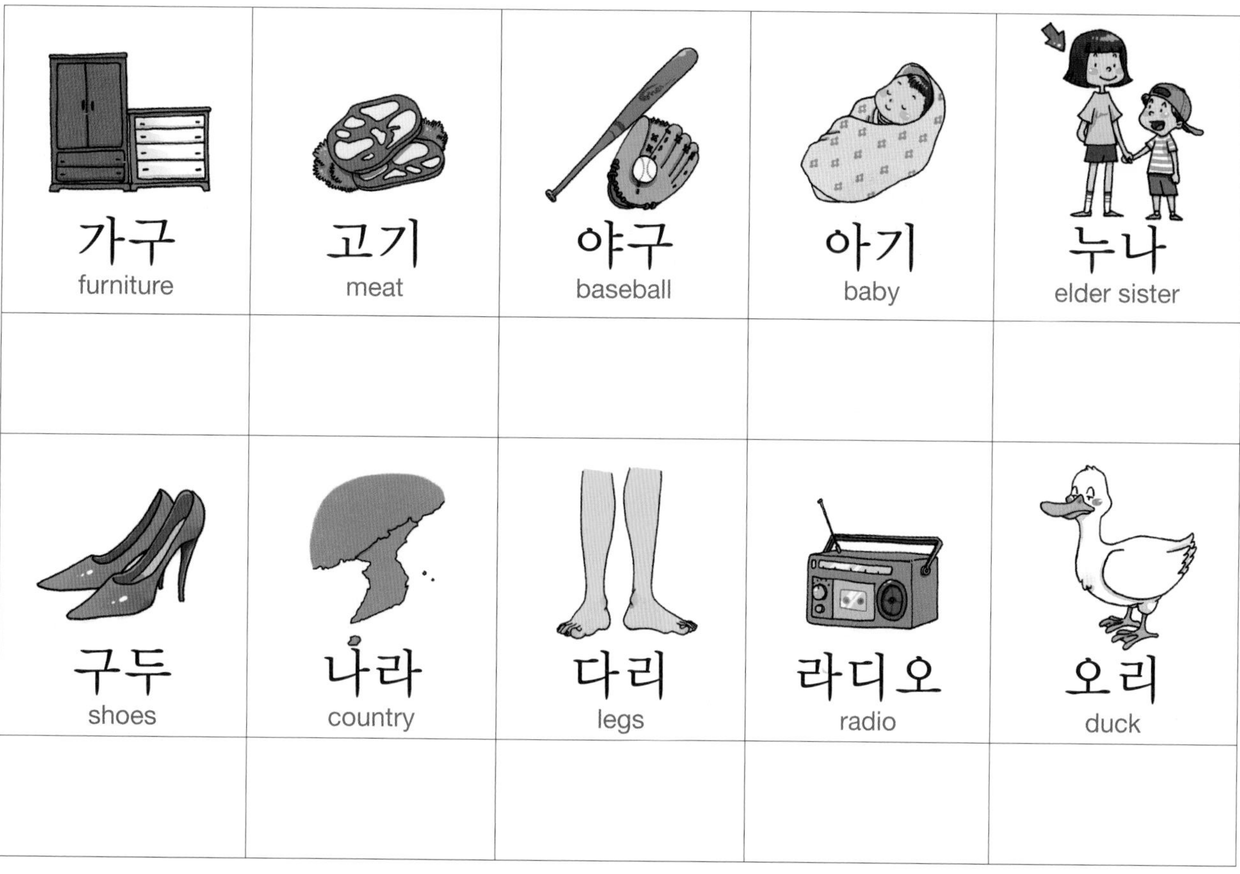

track 08

	ㅏ	ㅑ	ㅓ	ㅕ	ㅗ	ㅛ	ㅜ	ㅠ	ㅡ	ㅣ
ㅁ					모			뮤		
ㅂ		뱌					부			
ㅅ				셔					스	
ㅇ			어							이
ㅈ	자					죠				

어머니 mother	머리 head	부모 parents	비누 soap	두부 soybean curd (tofu)
보리 barley	소나무 pine tree	아버지 father	바지 pants	수저 spoon and chopsticks

track 09

	ㅏ	ㅑ	ㅓ	ㅕ	ㅗ	ㅛ	ㅜ	ㅠ	ㅡ	ㅣ
ㅊ					초			츄		
ㅋ		캬					쿠			
ㅌ				텨					트	
ㅍ			퍼							피
ㅎ	하					효				

track 10

2. 다음을 잘 듣고 들은 것을 √ 표시해 보세요.
Listen carefully and mark √ the word that you hear.

(1) ㉮ 가다 ㉯ 까다　　(2) ㉮ 다르다 ㉯ 따르다

(3) ㉮ 타다 ㉯ 따다　　(4) ㉮ 바르다 ㉯ 빠르다

(5) ㉮ 피다 ㉯ 삐다　　(6) ㉮ 사다 ㉯ 싸다

(7) ㉮ 차다 ㉯ 짜다　　(8) ㉮ 지다 ㉯ 찌다

(9) ㉮ 지다 ㉯ 치다　　(10) ㉮ 주다 ㉯ 추다

track 11

3. 다음 받침을 잘 듣고 따라 읽으세요. Listen carefully and repeat the final consonants.

Letters	Pronunciation	Words
ㄱ, ㄲ, ㅋ	[-k]	국, 밖, 부엌
ㄴ	[-n]	눈, 논, 돈, 문, 인간
ㄷ, ㅅ, ㅆ, ㅈ, ㅊ, ㅌ, ㅎ	[-t]	듣다, 낫, 있다 낮, 낯, 밑, 히읗
ㄹ	[-l]	길, 실, 말, 글, 잘, 가을
ㅁ	[-m]	봄, 마음, 감, 밤, 김
ㅂ, ㅍ	[-p]	밥, 입, 법 잎, 앞, 숲
ㅇ	[-\]	한강, 공항, 방, 콩, 중, 상

Let's Start Learning the Korean Language with **Fast & Fun Korean**

Unit 01

안녕하세요? 만나서 반가워요.

Hello! Pleased to meet you.

준비 Warming Up

다음 그림에 알맞은 것을 ㉮~㉳에서 골라 빈칸에 써넣으세요.

Look at the pictures and fill in the blanks with the appropriate letter from among ㉮ to ㉳.

㉮ 네. 안녕하세요?	㉯ 처음 뵙겠습니다.	㉰ 만나서 반가워요.
㉱ 이름이 뭐예요?	㉲ 제 이름은 OOO이에요.	㉳ 안녕히 계세요.

(1)

(2)

(3)

(4)

네. 만나서 반가워요.

(5)

(6)

대화 Dialogue

track 12

영희 안녕하세요? 제 이름은 *김영희*예요.

히로 네, 안녕하세요? 저는 *히로 다다시*예요.

영희 *히로* 씨, 일본 사람이에요?

히로 네. 일본 사람이에요. *영희* 씨는 학생이에요?

영희 네. 학생이에요. *히로* 씨도 학생이에요?

히로 아니요. 저는 회사원이에요.

영희 만나서 반가워요.

Yeonghee Hi, how are you? My name is Kim Yeonghee.
Hiro Hi! I'm Hiro Tadashi.
Yeonghee Hiro, are you Japanese?
Hiro Yes, I'm Japanese. Are you a student?
Yeonghee Yes, I'm a student. Are you a student, too?
Hiro No, I'm a office worker.
Yeonghee Pleased to meet you.

새 단어 New Words

안녕하세요? How are you? 이름 name
뭐예요? what (is)? 일본 사람 Japanese (person)
학생 student 회사원 office worker
만나다 to meet 반갑다 pleased (to meet)

발음 Pronunciation

track 13

Liaison 1

When a syllable with a final consonant is followed by a syllable that begins with a vowel, the final consonant is pronounced together with the first vowel of the succeeding syllable.

- 이름이 [이르미]
- 이름은 [이르믄]
- 사람이에요 [사라미에요]

문형 연습 Pattern Practice

1

제 이름은 -예요.
-이에요.

다음 보기 와 같이 맞는 것을 고르세요. Circle the correct answer as in the example.

보기 제 이름은 *김영희*(예요, 이에요).

(1) 제 이름은 *와타나베*(예요, 이에요).

(2) 제 이름은 *정미진*(예요, 이에요).

(3) 제 이름은 *스티븐*(예요, 이에요).

(4) 제 이름은 *장쯔이*(예요, 이에요).

(5) 제 이름은 *테리*(예요, 이에요).

2

저는 -예요.
-이에요.

다음 보기 와 같이 맞는 것을 고르세요. Circle the correct answer as in the example.

보기
저는 *와타나베 요시야스*(예요, 이에요).
저는 대학생(예요, 이에요).

(1) 저는 *정호진*(예요, 이에요).

(2) 저는 *이예라*(예요, 이에요).

(3) 저는 은행원(예요, 이에요).

(4) 저는 회사원(예요, 이에요).

(5) 저는 의사(예요, 이에요).

▶ 은행원 bank employee | 회사원 office worker | 의사 doctor

핵심 문형 Key Grammatical Patterns

G1

-이다 attaches to nouns, and indicates that the subject and predicate of the sentence are the same. Both -예요 and -이에요 are informal final ending forms of -이다.

Ex. 저는 학생이에요.
(I am a student.)

In the above example, 저 and 학생 are expressed as being the same thing. When a noun does not have a final consonant, -예요 is added. When it has a final consonant, -이에요 is added. Here, this pattern is used to introduce oneself.

Ex. 저는 *제리 베이커*예요.
(I am Jerry Baker.)

G2

In the expression 저는, 저 is the first person humble pronoun, and -은/는 is a topic marker. The topic marker is -는 when there is no final consonant in the previous syllable, but changes to -은 when there is a final consonant. Here, this expression is used with -이다 to express one's name, status, or occupation.

Ex. 저는 회사원이에요.
(I am a company employee.)
제 동생은 학생이에요.
(My younger sister/brother is a student.)

3

> 가 – 사람이에요?
> 나 네. – 사람이에요. / 아니요. – 사람이 아니에요.

다음 보기 와 같이 대화를 완성하세요. Complete the dialogues as in the example.

보기
가 한국 사람이에요? 가 일본 사람이에요?
나 네. 한국 사람이에요. 나 아니요. 일본 사람이 아니에요.

(1) 가 일본 사람이에요? 나 네. ________.
(2) 가 미국 사람이에요? 나 네. ________.
(3) 가 중국 사람이에요? 나 아니요. ________.
(4) 가 ______ 사람이에요?(일본) 나 네. ________.
(5) 가 ______ 사람이에요?(한국 / 일본)
나 아니요. ________. ______ 사람이에요.

▶ 한국 Korea | 일본 Japan | 미국 U.S.A. | 중국 China

4

> –도 –예요?
> –이에요?

다음 보기 와 같이 대화를 완성하세요. Complete the dialogs as in the example.

보기
가 와타나베 씨도 학생이에요?
와타나베 아니요. 저는 회사원이에요.

(1) 가 제인 씨도 회사원이에요? 제인 아니요. ________.(학생)
(2) 가 스티븐 씨도 학생이에요? 스티븐 아니요. ________.(가수)
(3) 가 호진 씨도 선생님이에요? 호진 아니요. ________.(회사원)
(4) 가 지훈 씨도 은행원이에요? 지훈 아니요. ________.(의사)
(5) 가 상민 씨도 의사예요? 상민 아니요. ________.(은행원)

▶ 선생님 teacher

핵심 문형 Key Grammatical Patterns

G3
When –이다, introduced in **G1**, is used in interrogative sentences, the same –이에요?and –예요? ending forms are used depending on the presence or absence, respectively, of a final consonant, except in this case they are pronounced with rising intonation to indicate a question. Such questions are answered with 네. –예요/–이에요. or 아니요. –이/가 아니에요.

G4
–도 is used after a subject or object to represent 'also' or 'too.' Here, it is used when asking a question about a subject previously mentioned in the conversation. Note that it replaces subject case marker –이/가 and auxiliary topic case marker –은/는.

Ex. 가 : 저는 학생이에요.
(I am a student.)
존 씨도 학생이에요?
(Are you a student too, John?)
나 : 네. 저도 학생이에요.
(Yes, I'm a student, too.)

회화 연습 1 Conversation Practice 1

track 14

가 안녕하세요?

나 네, ____

가 저는 ____ -예요. / -이에요.

나 ____ 사람이에요?

가 네. ____ 사람이에요.

나 반가워요.

위 대화문 빈칸에 다음의 단어나 표현을 사용하여 두 사람씩 짝을 지어 인사해 보세요.
Practice greetings with classmates using the words and phrases below to complete the dialogue in the box above.

인사 Greetings

안녕하세요? How are you?
처음 뵙겠습니다. Nice to meet you.
제 이름은 *김영희*예요. My name is Kim Yeonghee.
저는 *박미진*이에요. I'm Park Mijin.

국가 Countries

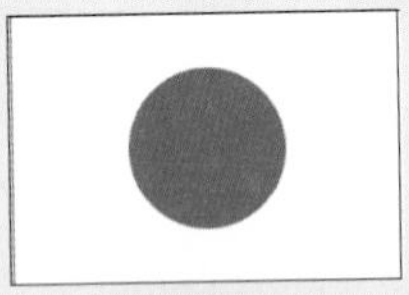

일본 Japan
중국 China 
미국 U.S.A. 
캐나다 Canada 
호주 Australia 
러시아 Russia 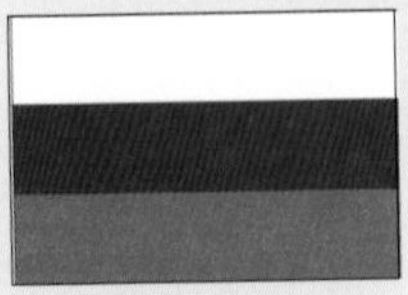
베트남 Vietnam 
프랑스 France

회화 연습 2 Conversation Practice 2

track 15

가 ________ 씨, ________ -예요? / -이에요?

나 네. ________ -예요. / -이에요.

________ 씨도 ________ -예요? / -이에요?

가 아니요. 저는 ________ -예요. / -이에요.

위 대화문 빈칸에 다음의 단어를 사용하여 상대방과 함께 이야기해 보세요.

Practice speaking with your classmates using the words below to complete the dialogue in the box above.

과제 1 Task 1 말하기 Speaking

1 보기 와 같이 친구들에게 서로 질문하고 다음 표를 써 보세요.
Complete the following table by taking turns asking questions with your classmates as in the example.

track 16

	친구 1	친구 2	친구 3	친구 4
이름이 뭐예요?	제리 베이커			
어느 나라 사람이에요?	미국 사람			
직업이 뭐예요?	기자			

보기

가 이름이 뭐예요?

나 ***제리 베이커***예요.

가 어느 나라 사람이에요?

나 ***미국 사람***이에요.

가 직업이 뭐예요?

나 ***기자***예요.

▶ 직업 occupations

2 보기 와 같이 여러분 친구를 소개해 보세요. Practice introducing your classmates below as in the example.

(1)

다마키
일본 사람
기자

(2)

티엔
베트남 사람
주부

(3)

마리
프랑스 사람
디자이너

보기

제 친구 이름은 *마이클*이에요.
마이클 씨는 *미국* 사람이에요.
마이클 씨는 영어 선생님이에요.

마이클
미국 사람
영어 선생님

과제 2 Task 2 읽기와 쓰기 Reading & Writing

1 **다음 글을 읽고 알맞은 답을 쓰세요.** Read the following and answer the questions.

안녕하세요?
저는 와타나베 요시야스예요.
일본 사람이에요.
회사원이에요.

(1) 이 사람 이름이 뭐예요? What is this person's name?

____

(2) 이 사람은 어느 나라 사람이에요? Where is this person from?

____

(3) 이 사람의 직업은 뭐예요? What is this person's occupation?

____

2 **위의 본문과 같이 자기소개를 써 보세요.** Write your own self-introduction as in the text above.

____

____

____

____

____

과제 3 Task 3 듣기 Listening

1 다음을 잘 듣고 *마이클* 씨의 직업을 고르세요. Listen carefully and choose Michael's occupation.

track 18

㉮ 

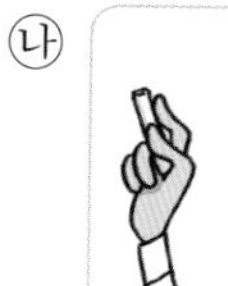

㉯ 

㉰ 

2 다음을 잘 듣고 맞는 그림을 고르세요. Listen carefully and choose the correct picture.

track 19

㉮ 

㉯ 

㉰ 

3 다음을 잘 듣고 맞는 상황을 고르세요. Listen carefully and choose the correct situation.

track 20

㉮ 

㉯ 

㉰ 

Unit 02

동생이 둘 있어요.

I have two younger siblings.

준비 Warming Up

다음 그림에 알맞은 단어를 ㉮~㉵에서 골라 빈칸에 써넣으세요.

Look at the pictures and fill in the blanks with the appropriate letter from among ㉮ to ㉵.

㉮ 어머니	㉯ 여동생	㉰ 할머니	㉱ 딸	㉲ 오빠	㉳ 형
㉴ 아버지	㉵ 남동생	㉶ 할아버지	㉷ 아들	㉸ 언니	㉹ 누나

(1)

(2)

(3)

(4)

(5)

대화 Dialogue

track 21

진 수　동생이 있어요?

제임스　네. 동생이 둘 있어요.

진 수　그럼, 형도 있어요?

제임스　아니요. 없어요. 누나가 있어요.

진 수　저는 형하고 여동생이 하나 있어요.

제임스　부모님이 계세요?

진 수　네. 부모님은 부산에 계세요.

Jinsu　Do you have any brothers or sisters?

James　Yes, I have two younger siblings.

Jinsu　So, what about older brothers?

James　No, but I have an older sister.

Jinsu　I have one older brother and one younger sister.

James　Are your parents still around?

Jinsu　Yes, my parents live in Busan.

새 단어 New Words

부모님 parents

있다(→)/계시다(↑) are(→normal) / exist(↑ honorific)

있다 ↔ 없다 to have / to exist ↔ not to have / not to exist

하나 one　둘 two　셋 three

넷 four　다섯 five　그럼 then, so

부산 Busan

track 22

발음 Pronunciation

Liaison 1

When a syllable with a final consonant is followed by a syllable that begins with a vowel, the final consonant of the first syllable is pronounced together with the initial sound of the second syllable.

- 있어요 [이써요]
- 없어요 [업써요]
- 부모님이 [부모니미]
- 부모님은 [부모니믄]
- 부산에 [부사네]

문형 연습 Pattern Practice

1

(저는) -이/가 있어요. 없어요.

다음 보기 와 같이 맞는 것을 고르세요.

Choose the correct answer as shown in the example.

보기 저는 언니(이/가) (있어요, 없어요). 언니 / 오빠

(1) 저는 형(이/가) (있어요, 없어요). 형 / 누나

(2) 저는 여동생(이/가) (있어요, 없어요). 여동생 / 남동생

(3) 저는 오빠(이/가) (있어요, 없어요). 언니 / 오빠

(4) 저는 남동생(이/가) (있어요, 없어요). 오빠 / 남동생

(5) 저는 누나(이/가) (있어요, 없어요). 누나 / 형

2

-하고 -

다음 보기 와 같이 '하고'를 써서 두 단어를 연결해 보세요.

Use 하고 to connect two nouns as in the example.

보기 형하고 여동생이 있어요. 형, 여동생

(1) ____________________이 있어요. 누나, 형

(2) ____________________가 있어요. 여동생, 누나

(3) ____________________이 있어요. 오빠, 남동생

(4) ____________________이 있어요. 부모님, 여동생

(5) ____________________이 있어요. 언니, 남동생

핵심 문형 Key Grammatical Patterns

G5

-이/가 is the subject case marker. -이 is attached to the preceding noun when it has a final consonant, and -가 is used when there is no final consonant.

Ex. 1) 전화가 있어요.
(There is a telephone.)
2) 책상이 있어요.
(There is a desk.)

In Korean 'I have ~' is expressed with 있다, which has the following meanings:

1) Existence of a person or thing: 'to be (here/there).'
2) Possession: 'to have (something).'
3) Location: 'to be (located in a place)' or 'to stay.'

Ex. 1) 책상이 있어요.
(There is a desk.)
2) 친구가 있어요.
(I have a friend.)
3) 신라호텔에 있어요.
(I'm staying in Shilla Hotel.)

G6

Used to mean 'and', -하고 is used to connect two nouns. It can be used with all types of nouns regardless of whether they have a final consonant (받침). It is used more often in casual speech.

Ex. 교과서하고 사전
(textbook and dictionary)
사전하고 교과서
(dictionary and textbook)

3 (-은/는) -에 계세요. (↑) / 있어요. (→)

다음 보기 와 같이 문장을 완성하세요. Complete the sentences as in the example.

보기
부모님(은/는) 부산 → 부모님(은/는) 부산에 계세요. (↑)
누나(은/는) 서울 → 누나(은/는) 서울에 있어요. (→)

(1) 형(은/는) 서울 ______________________.

(2) 언니(은/는) 부산 ______________________.

(3) 부모님(은/는) 베이징 ______________________.

(4) 오빠(은/는) 도쿄 ______________________.

(5) 남동생(은/는) 뉴욕 ______________________.

▶ 서울 Seoul | 베이징 Beijing | 도쿄 Tokyo | 뉴욕 New York

4 -은/는 없어요.

다음 보기 와 같이 대화를 완성하세요. Complete each dialogue as in the example.

보기
가 형도 있어요?
나 아니요. 형은 없어요.

(1) 가 동생도 있어요?
나 아니요. ______________________.

(2) 가 누나도 있어요?
나 아니요. ______________________.

(3) 가 오빠도 있어요?
나 아니요. ______________________.

(4) 가 남동생도 있어요?
나 아니요. ______________________.

핵심 문형 Key Grammatical Patterns

G7

① -에 of N+에 is a location marker when used with nouns expressing a place. It is used mainly with stative verbs such as 있다 and 살다.

② 계세요(↑) is the honorific form of 있어요(→), and as such it replaces 있어요 when referring to a superior or elder.

③ Noun+은/는 is a topic case marker.

G8

Here, -은/는 represents contrast or emphasis. In response to the question 형도 있어요? (Do you have an older brother, too?), for example, -은 is used to express contrast or emphasis: 형은 없어요. In this way, when asked something with the pattern N + 도, N + 은/는 can be used as a marker to emphasize contrast.

☞ G2 -은/는

회화 연습 1 Conversation Practice 1

track 23

가 (　　　)-이/-가 있어요?

나 네. (　　　)-이/-가 (　　　) 있어요.

가 그럼, (　　　)도 있어요?

나 네. 있어요. /
아니요. 없어요.

● 위 대화문 빈칸에 다음의 단어를 이용하여 짝과 함께 가족에 대해 이야기해 보세요.
Use the following words to complete the above dialogue to practice talking with your classmates about your family.

수 Numbers

1	2	3	4	5	6	7	8	9	10
하나 one	둘 two	셋 three	넷 four	다섯 five	여섯 six	일곱 seven	여덟 eight	아홉 nine	열 ten

회화 연습 2 Conversation Practice 2

track 24

가 부모님이 계세요?

나 네. 부모님이 ______ 에 계세요.

______씨도 부모님이 계세요?

가 네. 부모님이 ______ 에 계세요.

______ 하고 ______ 도 ______ 에 있어요.

위 대화문 빈칸에 다음의 단어를 이용하여 짝과 함께 부모님께서 계신 도시에 대해 이야기해 보세요.

Use the following words to complete the above dialog to practice talking with your classmates about the city where your parents live.

도시 Cities

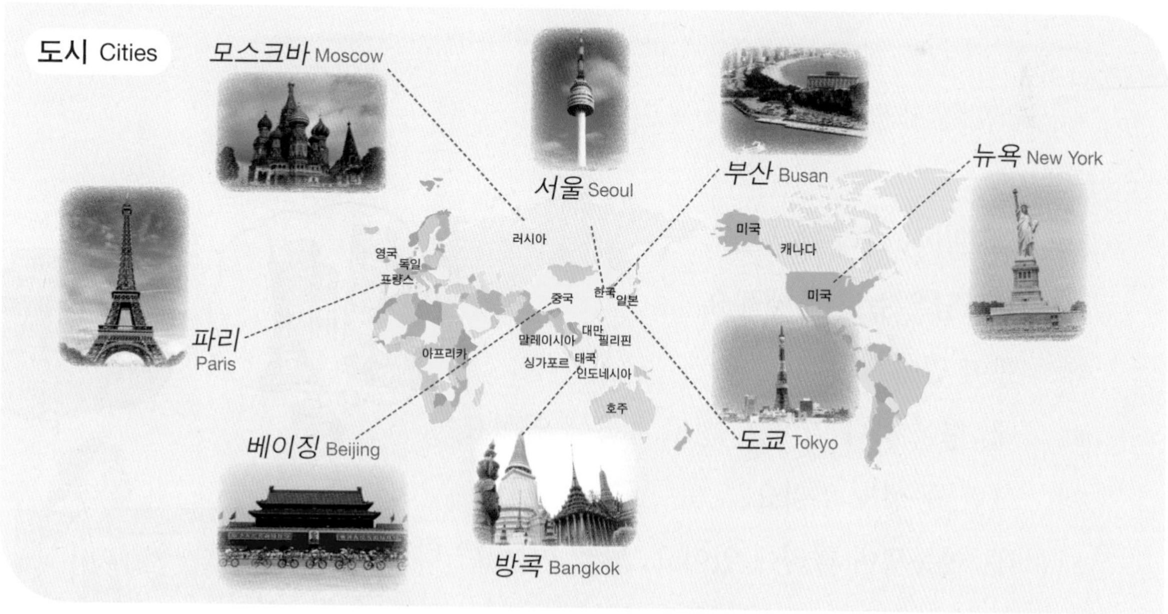

가족 Family

형 (a boy's) older brother

오빠 (a girl's) older brother

남동생 younger brother

누나 (a boy's) older sister

언니 (a girl's) older sister

여동생 younger sister

과제 1 Task 1　말하기 Speaking

1 보기 와 같이 가족이 몇 명이고 어디에 사는지 친구들에게 물어보세요. 그리고 아래의 표도 완성하세요. Ask your classmates how many family members they have and where they live. Then complete the following chart.

track 25

	부모님	언니	오빠	형	누나	여동생	남동생
보기 존	뉴욕			1, 뉴욕		1, 파리	
왕찡		1, 베이징	1, 베이징				

보기

왕찡　부모님이 어디 계세요?

존　**부모님**은 **뉴욕**에 계세요.

왕찡　형이 있어요?

존　네. **형**이 **하나** 있어요. 형도 **뉴욕**에 있어요.

왕찡　그럼, 동생도 있어요?

존　네. **여동생**이 **파리**에 있어요. **왕찡** 씨는요?

왕찡　저는 **오빠**하고 **언니**가 **하나** 있어요.

베이징에 있어요.

2 여러분의 가족사진을 보여 주면서 다음 보기 와 같이 친구들에게 가족을 소개하세요.

Show your family picture and then introduce your family members to your classmates as in the example.

track 26

(1)

(2)

보기

저는 남동생이 하나, 여동생이 하나 있어요.
남동생하고 여동생은 *베이징*에 있어요. 학생이에요.
부모님도 *베이징*에 계세요. 어머니는 선생님이에요.
아버지도 선생님이에요.

과제 2 Task 2 읽기와 쓰기 Reading & Writing

1 **다음 글을 읽고 질문에 답하세요.** Read the following and answer the questions.

저는 누나가 하나, 동생이 둘 있어요. 여동생하고 남동생이에요. 누나는 프랑스 *파리*에 있어요. 여동생하고 남동생은 *베이징*에 있어요. 부모님도 *베이징*에 계세요.

(1) 이 사람의 가족은 모두 몇 명이에요? How many people are in this person's family?

㉮ 셋　　㉯ 넷　　㉰ 다섯　　㉱ 여섯

(2) 이 사람의 누나는 어디에 있어요? Where is this person's older sister?

____

(3) 이 사람의 동생과 부모님은 어디에 있어요? Where is this person's younger siblings and parents?

____

2 **위의 본문과 같이 자신의 가족에 대해서 써 보세요.** Write about your own family using the above text.

과제 3 Task 3 듣기 Listening

1 **다음을 잘 듣고 그림에 맞게 연결하세요.** Listen carefully and connect the following pictures correctly.

track 27

(1)  현우 •　　　　• ㉮

(2)  지영 •　　　　• ㉯

(3)  준호 •　　　　• ㉰

2 **다음을 잘 듣고 내용이 맞으면 O, 틀리면 X표 하세요.**

Listen to the following and indicate whether the statements below are true with an O, or false with an X.

track 28

(1) 나오미 씨는 오빠가 있어요. (　　)

(2) 나오미 씨 오빠는 모스크바에 있어요. (　　)

3 **다음을 잘 듣고 빈칸을 완성하세요.** Listen to the following carefully and fill in the blanks.

track 29

(1) 여동생 : ________ 명

(2) 형 : ________ 명

(3) 누나가 어디에 있어요? : ________

(4) 가족은 모두 몇 명이에요? : ________ 명

Unit 03

기숙사가 어디에 있어요?

Where is the dormitory?

준비 Warming Up

다음 그림에 알맞은 것을 ㉮~㉻에서 골라 빈칸에 써넣으세요.

Look at the pictures and fill in the blanks with the appropriate letter from among ㉮ to ㉻.

㉮ 기숙사	㉯ 서점	㉰ 우체국	㉱ 은행	㉲ 학교	㉳ 백화점
㉴ 극장	㉵ 도서관	㉶ 병원	㉷ 화장실	㉸ 편의점	㉻ 식당

대화 Dialogue

track 30

나오키 집이 어디예요?

수 정 상암동이에요. 나오키 씨는요?

나오키 저는 기숙사에 살아요.

수 정 기숙사가 어디에 있어요?

나오키 어학당 맞은편에 있어요.

수 정 아, 그래요. 기숙사에 식당이 있어요?

나오키 네. 있어요.

Naoki Where is your house?

Sujeong In Sangamdong. What about you?

Naoki I live in a dormitory.

Sujeong Where is the dormitory?

Naoki Across from the language institute.

Sujeong Oh, I see. Does the dormitory have a cafeteria?

Naoki Yes, it does.

새 단어 New Words

집 house, home	어디 where
상암동 Sangamdong	살다 to live
어학당 language institute	
맞은편 other side, across	그래요 I see

발음 Pronunciation

Liaison 1

When a syllable with a final consonant is followed by a syllable that begins with a vowel, the final consonant of the first syllable is pronounced together with the initial sound of the second syllable.

- 살아요 [사라요]
- 옆에 [여페]

Tensification

When the final consonants /ㄱ, ㄷ, ㅂ/ are followed by the initial sounds "ㄱ, ㄷ, ㅅ, ㅈ", the initial sounds are pronounced as their tensed counterparts /ㄲ, ㄸ, ㅆ, ㅉ/.

- 기숙사 [기숙싸]
- 학교 [학꾜]
- 국밥 [국빱]
- 식당 [식땅]
- 잡고 [잡꼬]

문형 연습 Pattern Practice

핵심 문형 Key Grammatical Patterns

1

가 집이 어디예요?
나 –예요. / –이에요.

다음 보기 와 같이 주어진 단어를 사용하여 대화를 완성하세요.
Use the words in parentheses to complete the following dialogues as in the example.

보기
가 집이 어디예요?
나 상암동이에요. (상암동)

(1) 가 집이 어디예요?
나 ________________. (이태원)

(2) 가 집이 어디예요?
나 ________________. (대학로)

(3) 가 ________________?
나 ________________. (잠실)

(4) 가 ________________?
나 ________________. (신촌)

▶ 이태원 Itaewon | 대학로 Daehangno | 잠실 Jamsil | 신촌 Shinchon

G9

Both 집이 어디예요? and 집이 어디에 있어요? mean 'Where is your house?' Note that here 집 refers to '(your) house' (i.e., the listener's house).

2

–은/는요?

다음 보기 와 같이 주어진 단어를 사용하여 문장을 완성하세요.
Use the words in parentheses to complete the following sentences as in the example.

보기 저는 기숙사에 살아요. 제임스 씨는요? (제임스 씨)

(1) 저는 학생이에요. ________________는요? (진수 씨)

(2) 저는 중국 사람이에요. ________________? (왕핑 씨)

(3) 저는 동생이 하나 있어요. ________________? (선생님)

(4) 저는 신촌에 살아요. ________________? (진수 씨)

G10

–은/는요? is used when asking a question using the same topic currently under discussion in place of repeating it. In this way it functions much like "What (How) about you?" For example, the expression 저는 기숙사에 살아요. 제임스 씨는 어디에 살아요? (I live in a dormitory. Where do you live, James?) can be shortened to simply 저는 기숙사에 살아요. 제임스 씨는요? (I live in a dormitory. How about you, James?)

3 –은/는 –에 살아요.

다음 보기 와 같이 주어진 단어를 사용하여 문장을 완성하세요.
Use the words in parentheses to complete the following sentences as in the example.

보기 저(은/는) 기숙사에 살아요. (저, 기숙사)

(1) _____(은/는) ____________________. (저, 하숙집)

(2) _____(은/는) ____________________. (마이클 씨, 친척 집)

(3) ____________________________. (저, 아파트)

(4) ____________________________. (제임스 씨, 친구 집)

▶ 기숙사 dormitory | 하숙집 boarding house | 친척 집 relative's house | 아파트 apartment | 친구 집 friend's house

4 –이/가 어디에 있어요?

다음 보기 와 같이 주어진 단어를 사용하여 문장을 완성하세요.
Use the words in parentheses to complete the following sentences as in the example.

보기 기숙사가 어디에 있어요? (기숙사)

(1) ____________________? (식당)

(2) ____________________? (어학당)

(3) ____________________? (학교)

(4) ____________________? (화장실)

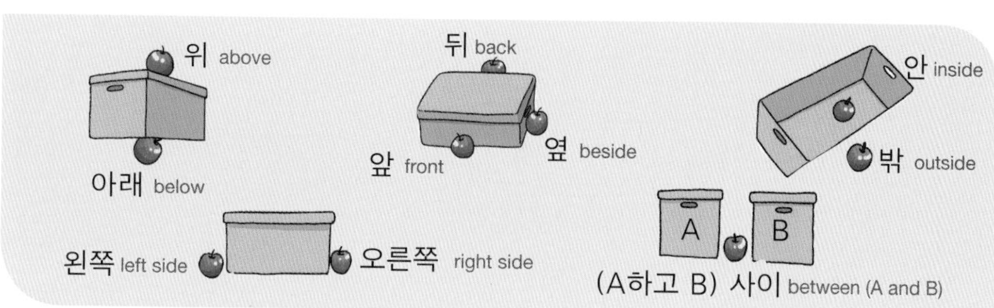

핵심 문형 Key Grammatical Patterns

G11

N+은/는 expresses the topic of conversation, and –에 살아요 is the informal ending –아요 attached to –에 살다 (to live in~). When attaching the informal ending, because the stem 살 includes the vowel 아, –아요 is used for vowel harmony.

Here, –에 is a case marker attached to nouns expressing location, and is often used together with stative verbs such as 살다 and 있다. (☞ G2, G7).

Ex. 서울에 살아요.
(I live in Seoul.)
학교에 있어요.
(I am at school.)

G12

N+이/가 어디에 있어요? has the same meaning as N+이/가 어디예요? introduced earlier (☞ G9).

회화 연습 1 Conversation Practice 1

track 32

가 집이 어디예요?

나 ________ -예요. / -이에요.

________ 씨는요?

가 저는 ________ 에 살아요.

나 ________ -이 / -가 어디에 있어요?

가 ________ (근처)에 있어요.

위 대화문 빈칸에 다음의 단어를 사용하여 두 사람씩 짝을 지어 자기 집에 대해 이야기해 보세요.

Discuss your house with your classmates using the words below to complete the dialogue in the box above.

지명 Place Names

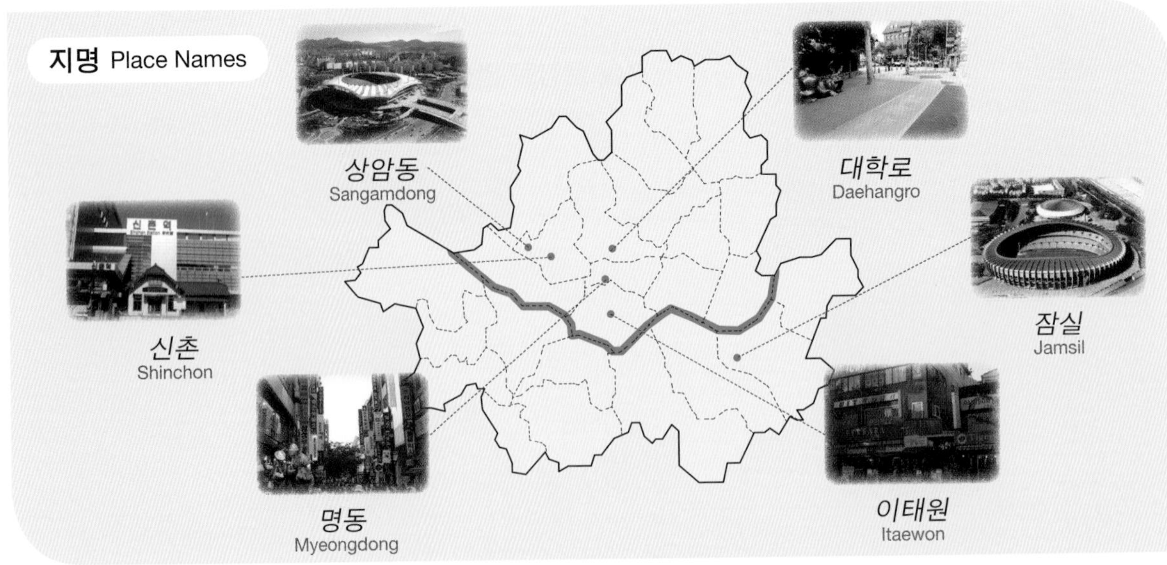

장소 Places

기숙사 dormitory	친척집 relative's house	친구 집 friend's house	하숙집 boarding house
아파트 apartment	오피스텔 studio apartment	원룸 one-room apartment	

▶ 근처 nearby

회화 연습 2 Conversation Practice 2

track 33

가 ______ -이/-가 어디에 있어요?

나 ______ ______ 에 있어요.

가 ______ 에 ______ -이/-가 있어요?

나 네. 있어요. /
아니요. 없어요.

위 대화문 빈칸에 다음의 단어를 사용하여 위의 그림에 있는 각 장소의 위치를 설명해 보세요.
Use the following words to describe the location of each place in the above picture.

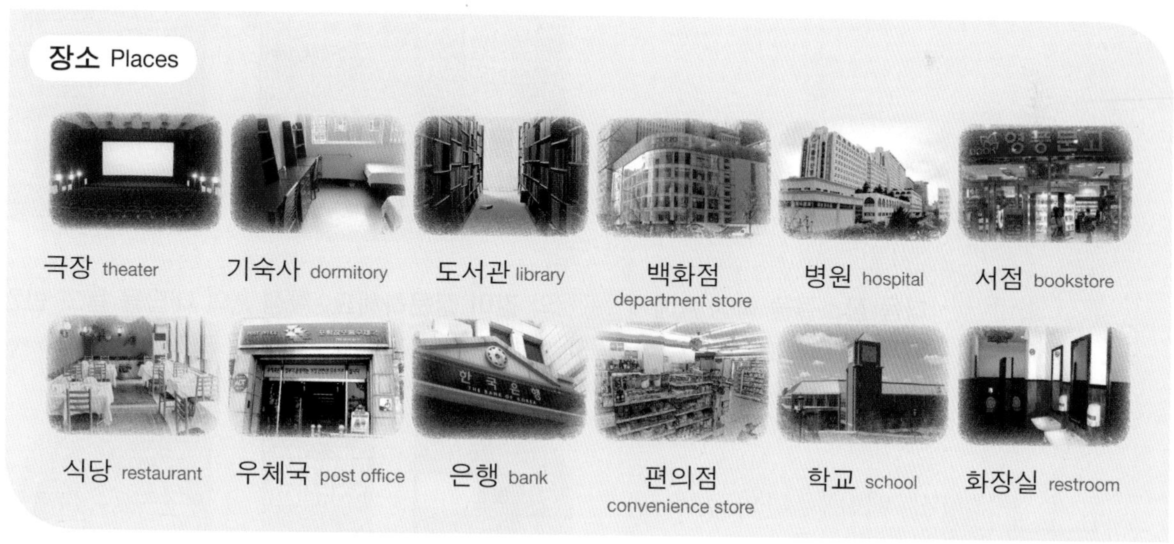

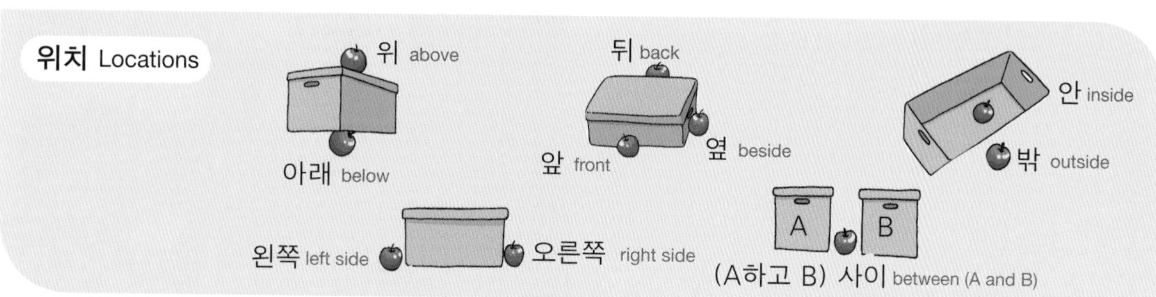

과제 1 Task 1 말하기 Speaking

1 보기 와 같이 대화를 하며 빈칸에 알맞은 장소 이름을 쓰세요.
Have a conversation with your classmate as in the example. Then write the correct place name in each blank.

track 34

보기

학생 A 극장이 어디에 있어요?

학생 B 회사 맞은편에 있어요.

학생 A	다음 장소들을 학생 B에게 보기 와 같이 질문하세요. 학생 B의 대답을 듣고 빈칸에 쓰세요. 그리고 학생 B의 질문에 대답하세요. Ask Student B about each of the following locations as in the example. Listen to Student B's answers to fill in the blanks, and then answer Student B's questions.

어디 도서관, 우체국, 병원

학생 B	다음 장소들을 학생 A에게 보기 와 같이 질문하세요. 학생 A의 대답을 듣고 빈칸에 쓰세요. 그리고 학생 A의 질문에 대답하세요. Ask Student A about each of the following locations as in the example. Listen to Student A's answers to fill in the blanks, and then answer Student A's questions.

어디 화장실, 백화점, 편의점

2 선생님이나 반 친구들이 읽어 주는 문장을 듣고 다음 방 안 그림에 아래의 물건들의 기호를 써넣으세요. Listen to the passage read by your teacher or classmate and write the symbol of the items below in their appropriate locations in the room.

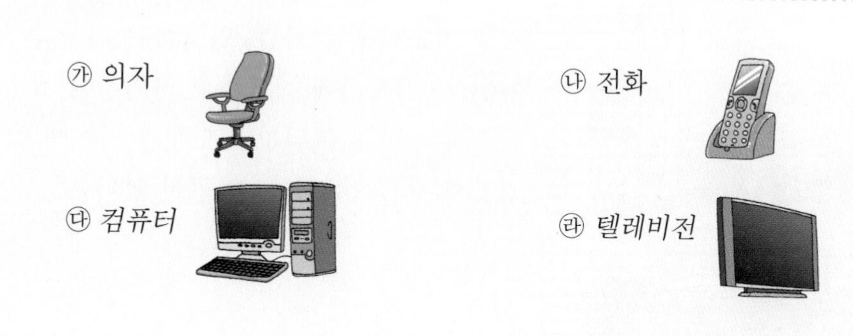

- 책상 위에 컴퓨터가 있어요.
- 책상 앞에 의자가 있어요.
- 창문 맞은편에 텔레비전이 있어요.
- 컴퓨터 오른쪽에 전화가 있어요.

과제 2 Task 2 읽기와 쓰기 Reading & Writing

❶ *나오키* 씨의 이야기를 읽고 질문에 답하세요. Read the following passage by Naoki and answer the following questions.

저는 기숙사에 살아요. 기숙사는 어학당 뒤에 있어요. 기숙사에 식당하고 편의점이 있어요. 기숙사는 학교 병원하고 도서관 사이에 있어요. 기숙사 오른쪽에 학교 병원이 있어요.

(1) *나오키* 씨는 어디에 살아요? Where does Naoki live?

____

(2) 기숙사에 무엇이 있어요? What are inside the dormitory?

____

(3) 도서관은 어디에 있어요? Where is the library?

❷ 위 ❶번 글과 같이 여러분이 살고 있는 동네를 설명해 보세요.

Describe the neighborhood in which you live as in Example 1 above.

저는 에 살아요.

____

____

____

____

과제 3 Task 3 듣기 Listening

❶ 다음을 잘 듣고 *크리스* 씨가 사는 곳을 고르세요. Listen carefully and choose where Chris lives.

㉮ 

㉯ 

㉰ 

❷ 다음을 잘 듣고 맞는 그림을 고르세요. Listen carefully and choose the picture that matches the description.

track 36

㉮ 

㉯ 

㉰ 

❸ 다음을 잘 듣고 맞는 그림을 고르세요. Listen carefully and choose the picture that matches the description.

㉮ 

㉯ 

㉰ 

❹ 다음을 잘 듣고 내용이 맞으면 O, 틀리면 X표 하세요.

Listen to the following dialogue and indicate whether the statements below are true with an O or false with an X.

(1) 저는 오피스텔에 살아요. ( )

(2) 집 근처에 백화점이 있어요. ( )

Unit 04

생일이 언제예요?

When is your birthday?

준비 Warming Up

다음 그림에 알맞은 것을 ㉮~㉶에서 골라 빈칸에 써넣으세요.

Look at the pictures and fill in the blanks with the appropriate letter from among ㉮ to ㉶.

㉮ 영화를 보다　㉯ 밥을 먹다　㉰ 커피를 마시다　㉱ 쇼핑을 하다　㉲ 여행을 하다

㉳ 게임을 하다　㉴ 운동을 하다　㉵ 숙제를 하다　㉶ 노래를 하다/부르다

(1)

(2)

(3)

(4)

(5)

(6)

(7)

(8)

(9)

대화 Dialogue

track 39

나오키 수정 씨, 생일이 언제예요?

수정 3월 15일이에요. 나오키 씨는요?

나오키 8월 22일이에요.

수정 그럼 내일 모레예요?

나오키 네. 모레 시간 있어요?

수정 그날이 금요일이에요? 네, 괜찮아요.

나오키 그럼, 같이 저녁을 먹을까요?

Naoki Sujeong, when is your birthday?

Sujeong March 15th. What about you?

Naoki Mine is August 22nd.

Sujeong So it's the day after tomorrow?

Naoki Yes, so are you free then?

Sujeong That would be Friday. Yes, I'm free.

Naoki Then, shall we have dinner together?

새 단어 New Words

언제 when	내일 tomorrow
(내일)모레 the day after tomorrow	시간 time
괜찮아요 okay	그날 that day
그럼 well, so, then	저녁을 먹다 to have dinner

1 일 one	2 이 two	3 삼 three	4 사 four	5 오 five	6 육 six	7 칠 seven	8 팔 eight	9 구 nine	10 십 ten

월요일 Monday	화요일 Tuesday	수요일 Wednesday	목요일 Thursday	금요일 Friday	토요일 Saturday	일요일 Sunday

1월 [이뤌] January	2월 [이월] February	3월 [사월] March	4월 [사월] April	5월 [오월] May	6월 **[유월]** June
7월 [치뤌] July	8월 [파뤌] August	9월 [구월] September	10월 **[시월]** October	11월 [시비뤌] November	12월 [시비월] December

track 40

발음 Pronunciation

Liaison 1

When a syllable with a final consonant is followed by a syllable that begins with a vowel, the final consonant is pronounced together with the first vowel of the succeeding syllable.

- 1월 [이뤌]
- 7월 [치뤌]
- 8월 [파뤌]
- 11월 [시비뤌]
- 12월 [시비월]
- 월요일 [워료일]
- 목요일 [모교일]
- 금요일 [그묘일]
- 일요일 [이료일]

Palatalization

When the final consonants "ㄷ, ㅌ" are followed by the vowel "이", the final consonants "ㄷ, ㅌ" are pronounced as /ㅈ, ㅊ/, respectively.

- 같이 [가치]
- 끝이 [끄치]
- 맏이 [마지]
- 해돋이 [해도지]

문형 연습 Pattern Practice

1

가 –이/가 언제예요?
나 –월 –일이에요.

다음 보기 와 같이 주어진 단어를 사용하여 대화를 완성하세요.
Use the words in parentheses to complete the following dialogues as in the example.

보기
가 생일이/가 언제예요? (생일) / 휴가이/가 언제예요? (휴가)
나 4(사)월 20(이십)일이에요. (4/20)

(1) 가 시험(이/가) 언제예요? (시험)
나 ______________________. (10/22)

(2) 가 어린이날______________________? (어린이날)
나 ______________________. (5/5)

(3) 가 ______________________? (휴일)
나 ______________________. (8/15)

(4) 가 ______________________? (회의)
나 ______________________. (6/23)

▶ 휴가 vacation | 시험 exam | 어린이날 Children's Day | 휴일 holiday | 회의 meeting

2

–(에) 시간 있어요?

다음 보기 와 같이 주어진 단어를 사용하여 문장을 완성하세요.
Use the words in parentheses to complete the following sentences as in the example.

보기 주말에 시간 있어요? (주말)

(1) 오늘 저녁______________________? (오늘 저녁)
(2) ______________________? (이번 주 토요일)
(3) ______________________? (6월 7일)
(4) ______________________? (내일)

▶ 주말 weekend | 오늘 today | 이번 주 this week

핵심 문형 Key Grammatical Patterns

G13

N+이/가 언제예요? is used when asking the date or time of something.

Ex. 생일이 언제예요?
(When is your birthday?)

G14

–에 attaches to a noun indicating a specific time to express the meaning of 'at' that time. Note, however, that –에 is not used with 어제, 오늘, 내일, or 모레.

Ex. 오늘에 (X), 내일에 (X)

Also, in conversation the particle –이 can usually be omitted.

Ex. 주말에 시간(이) 있어요?
(Do you have time this weekend?)

3

가 **–이/가 무슨 요일이에요?**
나 **–요일이에요.**

다음 보기 와 같이 주어진 단어를 사용하여 대화를 완성하세요.
Use the words in parentheses to complete the following dialogues as in the example.

보기
가 오늘이/가 무슨 요일이에요? (오늘)
나 월요일이에요. (월)

(1) 가 내일 ____________________? (내일)
나 화____________________. (화)

(2) 가 ____________________? (모레)
나 ____________________. (수)

(3) 가 ____________________? (시험)
나 ____________________. (목)

(4) 가 ____________________? (*크리스마스*)
나 ____________________. (금)

▶ *크리스마스* Christmas

4

가 **(같이) –ㄹ/–을 까요?**
나 **네. 좋아요.**

다음 보기 와 같이 주어진 단어를 사용하여 대화를 완성하세요.
Use the words in parentheses to complete the following dialogues as in the example.

보기 가 같이 운동할까요? (운동하다) / 나 네. 좋아요.

(1) 가 같이 ________________? (영화를 보다) / 나 네. 좋아요.

(2) 가 같이 ________________? (밥을 먹다) / 나 ____________.

(3) 가 같이 ________________? (*커피*를 마시다) / 나 ____________.

(4) 가 같이 ________________? (*게임*을 하다) / 나 ____________.

핵심 문형 Key Grammatical Patterns

G15

The pattern –이/가 무슨 요일이에요? is used when asking the day of the week (–요일).

Ex. 오늘이 무슨 요일이에요?
(What day of the week is today?)

G16

When the subject is 우리 ('we'), –ㄹ/을까요? is a final ending representing a suggestion to do something, similar to 'Shall we~?' In response, although the same verb as the one used in original suggestion can be used with the ending –ㅂ시다, the patterns 좋아요 and 그럽시다 are more natural sounding. –ㄹ까요? is used when attaching to a stem without a final consonant, while –을까요? is used when attaching to a final consonant.

Ex. 같이 갈까요?
(Shall we go?)
저녁을 먹을까요?
(Shall we have dinner?)

회화 연습 1 Conversation Practice 1

track 41

가 ______ -이/-가 언제예요?

나 ______ 이에요.

가 무슨 요일이에요?

나 ______ 요일이에요.

● 반 친구에게 다음 날짜에 대해 질문하세요. Ask your classmate about the following dates.

4월

일	월	화	수	목	금	토
			1	2	3	4
5	6	7	8	9	10	11
12	13	14	15	16 시험	17	18
19	20	21	(22)	23	24	25
26	27	28	29	30		

5월

일	월	화	수	목	금	토
		어린이날			1	2
3	4	(5)	6	7	8	9
10	11	12	13	14	15	16
17	18	19	20	21	22	23
24	25	26	27	28	29	30

6월

일	월	화	수	목	금	토
생일	1	2	3	4	5	6
(7)	8	9	10	11	12	13
14	15	16	17	18	19	20
21	22	23	24	25	26	27
28	29	30				

8월

일	월	화	수	목	금	토
						1
2	3	4	5	6	7	8
9	10	11	12	13	14	(15) 휴일
16	17	18	19	20	21	22
23	24	25	26	27	28	29

10월

일	월	화	수	목	금	토
				1	2	3
4	5	6	7	8	9	10
11	12	13	14	15	16	17
18	19	20	21	(22)	23	24
25	26	27	28	29	30	31

제이슨 씨 생일

12월

일	월	화	수	목	금	토
		1	2	3	4	5
6	7	8	9	10	11	12
13	14	(15) 방학	16	17	18	19
20	21	22	23	24	25	26
27	28	29	30	31		

회화 연습 2 Conversation Practice 2

track 42

가 ______씨, __________(에) 시간 있어요?

나 네. 괜찮아요.

가 그럼, 같이 __________ -ㄹ/-을 까요?

나 네. 좋아요.

● 반 친구에게 시간이 있는지 물어보고 무언가를 하자고 제안하세요.
Ask your classmate if he or she has free time and suggest doing something together.

언제 when

내일 tomorrow	(내일)모레 the day after tomorrow	주말 weekend
토요일 Saturday	3월 12일 March 12th	(내일)모레 저녁 the evening of the day after tomorrow

동사 verbs

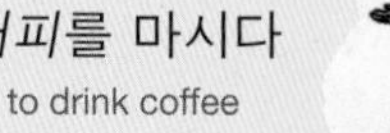

커피를 마시다
to drink coffee

영화를 보다
to see a movie

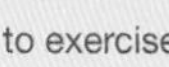

운동을 하다
to exercise

밥을 먹다
to have a meal

게임을 하다
to play games

쇼핑을 하다
to go shopping

과제 1 Task 1 말하기 Speaking

1 보기 와 같이 친구의 생일이 언제인지, 그날 시간이 있는지 물어보고 무언가를 하자고 제안하세요. Ask your classmate his or her birthday, whether he or she has free time on that day, and then suggest doing something together as in the example.

track 43

	생일	요일	제안
친구 1	3월 6일	목	저녁 먹다
친구 2			
친구 3			
친구 4			
친구 5			

보기

가 생일이 언제예요?

나 **3월 6일**이에요.

가 무슨 요일이에요?

나 **목**요일이에요.

가 그날 같이 **저녁을 먹을까요?**

나 네. 좋아요.

❷ 다음은 나오미 씨의 7월 계획표예요. 계획표를 보고 상대방과 묻고 답하세요.

The following is Naomi's schedule of events for July. Take turns with your partner asking questions about the schedule.

7월

일요일	( )요일	( )요일	( )요일	( )요일	( )요일	( )요일
			1	2	3	4
5	6 오늘	7	8	9	10	11
12 도서관	13	14 한국어 시험	15	16	17 영화 약속	18
19	20 여행	21	22	23	24 쇼핑 약속	25
26	27 친구 생일	28	29 인터뷰	30		

보기

가 오늘은 무슨 요일이에요?
나 월요일이에요.

가 한국어 시험이 언제예요?
나 ______________________.

가 인터뷰가 언제예요?
나 ______________________.

가 영화 약속 ______________________?
나 ______________________.

가 ______________________?
나 ______________________.

▶ 약속 appointment | 인터뷰 interview

과제 2 Task 2 읽기와 쓰기 Reading & Writing

1 **다음을 읽고 답을 쓰세요.** Read the following and fill in the blanks with the correct answers.

6월

일요일	( )요일	( )요일	( )요일	( )요일	( )요일	( )요일
3	4	5	6 시험	7 제임스 생일	8 방학	9 쇼핑 약속
10 영화 약속	11	12	13	14	15 인터뷰	16

모레는 시험이에요. 6월 7일은 *제임스* 씨 생일이에요. 이번 주 금요일은 방학이에요. 이번 주말에는 약속이 있어요. 6월 15일에는 *인터뷰*가 있어요. 그리고 16일에는 약속이 없어요.

(1) 오늘은 ______ 월 ______ 일이에요.

(2) *제임스* 씨 생일은 무슨 요일이에요? When is the birthday of James? ______________________

(3) 방학은 언제예요? When is the vacation? ______________________

2 **여러분의 일주일 계획을 글로 써 보세요.** Write your schedule for the week in the spaces below.

____월

일요일	( )요일	( )요일	( )요일	( )요일	( )요일	( )요일

____

____

____

____

▶ 그리고 and

과제 3 Task 3 듣기 Listening

1 **다음을 잘 듣고 맞는 것끼리 연결하세요.** Listen carefully and connect each pair of matching items with a line. track 44

(1)  • • ㉮ 

(2)  • • ㉯ 

(3)  • • ㉰ 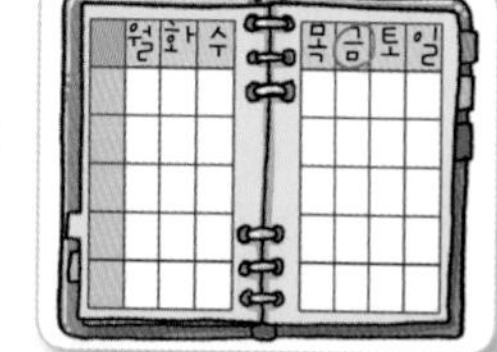

(4)  • • ㉱ 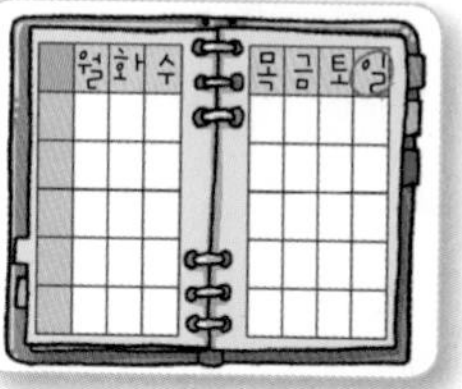

2 **다음 질문에 대해 맞는 대답을 고르세요.** Listen carefully and choose the correct answer. track 45

(1) ㉮ 네. 생일이에요. ㉯ 네. 시간이 있어요.
㉰ 내일이에요. ㉱ 금요일이에요.

(2) ㉮ 생일이에요. ㉯ 네. 좋아요.
㉰ 4월 25일이에요. ㉱ 토요일이에요.

3 **다음을 잘 듣고 내용이 맞으면 O, 틀리면 X표 하세요.** track 46
Listen to the following dialogue and indicate whether the statements below are true with an O or false with an X.

(1) 미영 씨는 내일 시간이 있어요. (　　)

(2) 미영 씨하고 마이클 씨는 모레 같이 밥을 먹어요. (　　)

Unit 05

취미가 뭐예요?

What is your hobby?

준비 Warming Up

다음 그림에 알맞은 것을 ㉮~㉶에서 골라 빈칸에 써넣으세요.

Look at the pictures and fill in the blanks with the appropriate letter from among ㉮ to ㉶.

㉮ 등산을 하다　㉯ 책을 읽다　㉰ 우표를 모으다　㉱ 사진을 찍다　㉲ 음악을 듣다

㉳ 요리를 하다　㉴ 그림을 그리다　㉵ 피아노를 치다　㉶ 테니스를 치다

대화 Dialogue

수정 나오키 씨, 취미가 뭐예요?

나오키 저는 운동을 좋아해요.

수정 무슨 운동을 좋아해요?

나오키 야구를 좋아해요.
수정 씨는 취미가 뭐예요?

수정 제 취미는 사진 찍기예요.

나오키 자주 사진을 찍어요?

수정 주말마다 사진을 찍어요.

Sujeong Naoki, what is your hobby?

Naoki I like to exercise.

Sujeong What kind of exercise do you like?

Naoki I like baseball. What is your hobby?

Sujeong My hobby is photography.

Naoki Do you often take pictures?

Sujeong I take pictures every weekend.

새 단어 New Words

취미 hobby	-을/를 좋아하다 to like (to do)
야구 baseball	제 my [polite]
자주 often	-마다 every

track 48

발음 Pronunciation

Liaison 2

When the final consonant "ㅎ" is followed by a vowel, the "ㅎ" is rarely pronounced.

- 좋아해요 [조아해요]
- 낳아요 [나아요]
- 닿아서 [다아서]

Tensification

When the final consonants /ㄱ, ㄷ, ㅂ/ are followed by the initial sounds "ㄱ, ㄷ, ㅂ, ㅅ, ㅈ", the initial sounds "ㄱ, ㄷ, ㅂ, ㅅ, ㅈ"are pronounced as their tensed counterparts /ㄲ, ㄸ, ㅃ, ㅆ, ㅉ/.

- 찍기예요 [찍끼예요]
- 작고 [작꼬]
- 닫고 [닫꼬]

문형 연습 Pattern Practice

1

가 취미가 뭐예요?
나 저는 –을/를 좋아해요.

다음 보기 와 같이 주어진 단어를 사용하여 대화를 완성하세요.
Use the words in parentheses to complete the following dialogues as in the example.

보기
가 취미가 뭐예요?
나 저는 책을/를 좋아해요. (책)
저는 영화을/를 좋아해요. (영화)

(1) 가 취미가 뭐예요?
나 저는 *테니스*________________. (*테니스*)

(2) 가 취미가 뭐예요?
나 저는 ________________. (음악)

(3) 가 ________________?
나 저는 ________________. (운동)

(4) 가 ________________?
나 저는 ________________. (*게임*)

2

무슨 –을/를 좋아해요?

다음 보기 와 같이 주어진 단어를 사용하여 문장을 완성하세요.
Use the words in parentheses to complete the following dialogues as in the example.

보기 무슨 운동을/를 좋아해요? (운동)

(1) 무슨 ______을/를 좋아해요? (음식)

(2) 무슨 ______을/를 좋아해요? (음악)

(3) ________________? (영화)

(4) ________________? (색)

(5) ________________? (노래)

▶ 음식 food | 색 colors

핵심 문형 Key Grammatical Patterns

G17

When answering the question 취미가 뭐예요? (What is your hobby?), the phrase (Noun representing the hobby) + 을/를 좋아해요 ('I like+N.') is used.

Ex. 가 : 취미가 뭐예요?
(What is your hobby?)
나 : 영화를 좋아해요.
(I like movies.)

G18

무슨 corresponds to "What kind," and thus this pattern means "What kind of ~ do you like?"

☞ 무슨 + N and 어떤 + N

무슨 is used when asking about something vague and unclear, while 어떤 ('which') is used when asking about the characteristics, content, status, or nature of someone or something.

Ex. 그 사람은 어떤 사람이에요?
(What kind of person is he/she?)

3 제 취미는 -기예요.

다음 보기 와 같이 주어진 단어를 사용하여 문장을 완성하세요.
Use the words in parentheses to complete the following sentences as in the example.

보기 제 취미는 요리하기예요. (요리를 하다)

(1) 제 취미는 ______________________. (음악을 듣다)

(2) 제 취미는 ______________________. (영화를 보다)

(3) ______________________. (여행을 하다)

(4) ______________________. (우표를 모으다)

(5) ______________________. (*피아노*를 치다)

4 -마다 -을/를 -어/-아/-여 요.

다음 보기 와 같이 주어진 단어를 사용하여 문장을 완성하세요.
Use the words in parentheses to complete the following sentences as in the example.

보기 주말마다 등산을 해요. (주말, 등산을 하다)

(1) ______________________. (날, 책을 읽다)

(2) ______________________. (방학, 여행을 하다)

(3) ______________________. (일요일, 요리를 하다)

(4) ______________________. (수요일, *태권도*를 배우다)

(5) ______________________. (주말, 친구를 만나다)

▶ 날 day | *태권도* taekwondo | 배우다 to learn | 친구 friend | 만나다 to meet

핵심 문형 Key Grammatical Patterns

G19

-기 is an ending that attaches to verb and adjective stems to turn them into their noun forms. When a noun form is made in this way, the object marker 을/를 is often omitted.

Ex. 음악을 듣다 → 음악 듣기 (listen to music → listening to music)
영화를 보다 → 영화 보기 (watch a movie → movie watching)
여행을 하다 → 여행하기 (take a trip → trip taking, travel)
우표를 모으다 → 우표 모으기 (collect stamps → stamp collecting)
*피아노*를 치다 → *피아노* 치기 (play a piano → piano playing)

G20

-마다 means 'every + N.' The informal final ending -(아/어/여)요 is determined depending on the verb stem:

① Stems ending in vowel ㅏ, ㅗ, or ㅑ (except for 하): -아요
Ex. 가다 - 가요 (가 + 아 → 가)
오다 - 와요 (오 + 아 → 와)
얇다 - 얇아요 (얇 + 아 → 얇아)

② All other vowel endings: -어요
Ex. 먹다 - 먹어요
배우다 - 배워요
만들다 - 만들어요
읽다 - 읽어요
가르치다 - 가르쳐요
지내다 - 지내요

③ Stem 하: -여요
Ex. 하다 - 해요 (하 + 여 → 해)
일하다 - 일해요
공부하다 - 공부해요

회화 연습 1 Conversation Practice 1

track 49

가 ________ 씨는 취미가 뭐예요?

나 저는 ________ -을/-를 좋아해요.

________ 씨는 취미가 뭐예요?

가 제 취미는 ________ 기예요.

● 반 친구에게 취미를 물어보세요. Ask your classmate about his or her hobby.

회화 연습 2 Conversation Practice 2

track 50

가 ______ 씨는 무슨 ______ -을/-를 좋아해요?

나 저는 ______ -을/-를 좋아해요.

______ 씨는 무슨 ______ -을/-를 좋아해요?

가 저는 ______ -을/-를 좋아해요.

● 반 친구에게 다음 단어들을 사용해서 질문하세요. Use the words below to ask your classmate questions.

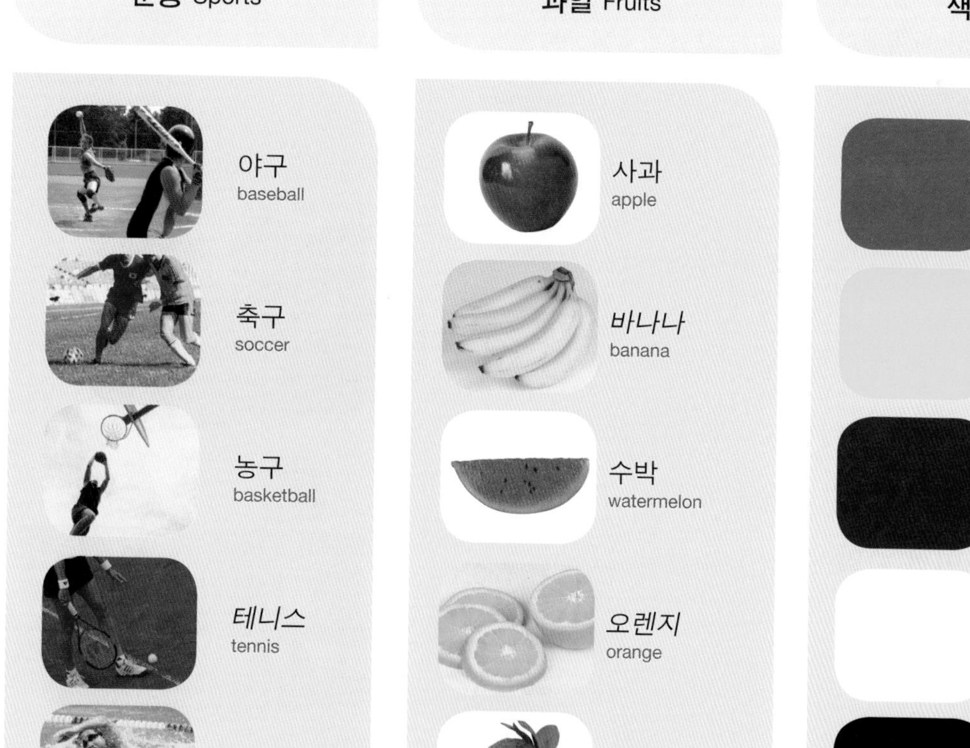

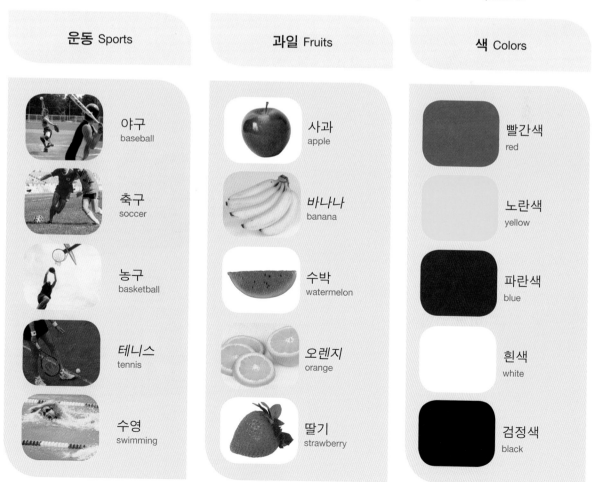

운동 Sports	과일 Fruits	색 Colors
야구 baseball	사과 apple	빨간색 red
축구 soccer	바나나 banana	노란색 yellow
농구 basketball	수박 watermelon	파란색 blue
테니스 tennis	오렌지 orange	흰색 white
수영 swimming	딸기 strawberry	검정색 black

과제 1 Task 1 말하기 Speaking

1 보기 와 같이 친구의 취미와 그 취미 활동을 자주 하는지 물어보세요. 그리고 같은 취미를 가진 친구에게 그 취미 활동을 하자고 제안하세요. track 51

Ask your classmates about their hobbies and related activities, and how often they do them as in the example. Suggest doing something with a classmate with whom you share a hobby.

	취미	자주?	제안
친구 1	등산	주말마다	이번 주말, 등산을 하다
친구 2			
친구 3			
친구 4			
친구 5			

보기

가 **취미가 뭐예요?**

나 제 취미는 **등산하기**예요.

가 저도 **등산**을 좋아해요. 자주 **등산을** 해요?

나 주말마다 **등산을 해요.**

가 그럼, **이번 주말**에 같이 **등산할까요?**

나 네. 좋아요.

2 친구들에게 보기 와 같이 자신의 취미를 소개하세요.

Introduce your hobby to your classmates as in the example below.

track 52

(1)

(2)

보기

안녕하세요. 저는 *나오미*예요.
저는 음악을 좋아해요.
제 취미는 음악 듣기와 *피아노* 치기예요.
저는 *한국* 노래하고 *일본* 노래를 좋아해요.
날마다 음악을 들어요.
학교에는 *피아노*가 있어요.
금요일마다 *피아노*를 쳐요.

과제 2 Task 2 읽기와 쓰기 Reading & Writing

1 다음에 나오는 *제임스* 씨의 글을 읽고 답을 쓰세요. Read the following passage by James and answer the questions.

제 취미는 운동하기예요.
저는 수영하고 등산을 좋아해요.
날마다 아침에 수영을 해요.
그리고 주말마다 등산을 해요.
요즘은 수요일마다 *태권도*를 배워요.
아주 재미있어요.

(1) *제임스* 씨는 취미가 뭐예요? What is James' hobby?

____

(2) *제임스* 씨는 언제 등산을 해요? When does James go hiking?

____

(3) 요즘 *제임스* 씨는 무엇을 배워요? What has James recently been studying?

____

2 여러분의 취미를 써 보세요. Write about your own hobby.

저는 ____________________ 을/를 좋아해요.

____

____

____

____

▶ 요즘 recently | 아주 very | 재미있다 to be interesting

과제 3 Task 3　듣기 Listening

1 **다음을 잘 듣고 맞는 것끼리 연결하세요.** Listen carefully and connect each pair of matching items with a line.

(1)

지훈 ● 　　　　● ㉮

(2)

미순 ● 　　　　● ㉯

(3)

재영 ● 　　　　● ㉰

2 **다음을 잘 듣고 질문에 대답하세요.** Listen carefully and answer the following questions.

(1) 와타나베 씨는 취미가 뭐예요? What is Watanabe's hobby?

㉮ 운동하기　㉯ 음악 듣기　㉰ 여행하기　㉱ 책 읽기

(2) 얼마나 자주 여행을 해요? How often does he take a travel?

㉮ 날마다 여행을 해요.　㉯ 방학마다 여행을 해요.

㉰ 일요일마다 여행을 해요.　㉱ 주말마다 여행을 해요.

3 **다음을 잘 듣고 내용이 맞으면 O, 틀리면 X표 하세요.**

Listen to the following dialogue and indicate whether the statements below are true with an O or false with an X.

(1) 미영 씨는 등산을 좋아해요. (　　)

(2) 미영 씨하고 마이클 씨는 주말에 같이 등산을 해요. (　　)

Unit 06

순두부하고 된장찌개 주세요.

We'll have *sundubu* and *doenjang* jjigae, please.

준비 Warming Up

다음 그림에 알맞은 것을 ㉮~㉶에서 골라 빈칸에 써넣으세요.

Look at the pictures and fill in the blanks with the appropriate letter from among ㉮ to ㉶.

㉮ 비빔밥 ㉯ 냉면 ㉰ 삼계탕 ㉱ 순두부 ㉲ 육개장

㉳ 된장찌개 ㉴ 김치찌개 ㉵ 김밥 ㉶ 불고기

대화 Dialogue

track 56

종업원 뭘 드릴까요?

수 정 나오키 씨, 뭘 먹고 싶어요?

나오키 저는 순두부를 먹고 싶어요.

수 정 그럼, 순두부하고 된장찌개 주세요.

(식사 중)

나오키 순두부가 정말 맛있어요.

수 정 그래요? 매운 음식을 좋아해요?

나오키 네. 아주 좋아해요.

Employee What can I get for you?

Sujeong Naoki, what do you want to eat?

Naoki I want to eat sundubu (bean curd soup).

Sujeong Then, we'll have sundubu and doenjang jjigae (bean paste stew), please.

(Eating)

Naoki Sundubu is really delicious.

Sujeong Really? Do you like spicy food?

Naoki Yes, I like it very much.

새 단어 New Words

종업원 employee

-을/를 드리다 to serve something

뭘 what (kind of)

정말 really

맛있다 to be delicious, tasty

맵다 to be spicy

음식 food

발음 Pronunciation

track 57

Liaison 1

When a syllable with a final consonant is followed by a syllable that begins with a vowel, the final consonant is pronounced together with the first vowel of the succeeding syllable.

- 싶어요 [시퍼요]
- 맛있어요 [마시써요]
- 음식을 [음시글]

Liaison 2

When the final consonant "ㅎ" is followed by a vowel, the "ㅎ" is rarely pronounced.

- 좋아해요 [조아해요]
- 놓아요 [노아요]
- 쌓여서 [싸여서]

Tensification

When the final consonants /ㄱ, ㄷ, ㅂ/ are followed by the initial sounds "ㄱ, ㄷ, ㅂ, ㅅ, ㅈ", the initial sounds are pronounced as their tensed counterparts /ㄲ, ㄸ, ㅃ, ㅆ, ㅉ/.

- 먹고 [먹꼬]
- 적게 [적께]
- 책가게 [책까게]

문형 연습 Pattern Practice

1

가 뭘 드릴까요?
나 – (좀) 주세요. / –하고 – 주세요.

다음 보기 와 같이 주어진 단어를 사용하여 대화를 완성하세요.
Use the words in parentheses to complete the following dialogues as in the example.

보기

가 뭘 드릴까요?
나 커피 (좀) 주세요.
(커피)

가 뭘 드릴까요?
나 순두부하고 된장찌개 주세요.
(순두부, 된장찌개)

(1) 가 뭘 드릴까요? 나 ____________ 주세요. (김치)

(2) 가 뭘 드릴까요? 나 ____________ 주세요. (비빔밥, 냉면)

(3) 가 ________? 나 ____________ 주세요. (물)

(4) 가 ________? 나 ____________. (순두부, 비빔냉면)

(5) 가 ________? 나 ____________. (김치찌개, 순두부 2(둘))

▶ 물 water | 비빔냉면 bibim-naengmyeon (cold noodles with assorted ingredients)

2

가 뭘 먹고 싶어요?
나 –을/를 먹고 싶어요.

다음 보기 와 같이 주어진 단어를 사용하여 문장을 완성하세요.
Use the words in parentheses to complete the following dialogues as in the example.

보기

가 뭘 먹고 싶어요?
나 비빔밥(을)를 먹고 싶어요. (비빔밥)

(1) 가 뭘 먹고 싶어요? 나 ________ 을/를 먹고 싶어요. (불고기)

(2) 가 뭘 먹고 싶어요? 나 ________ 을/를 먹고 싶어요. (물냉면)

(3) 가 ________? 나 ____________. (순두부)

(4) 가 ________? 나 ____________. (된장찌개)

(5) 가 ________? 나 ____________. (삼계탕)

▶ 물냉면 mul-naengmyeon (cold noodle soup)

핵심 문형 Key Grammatical Patterns

G21

N +(좀) 주세요 is the combination of –을/를 주다 with the respectful imperative final ending –세요. It is used when ordering something or asking a favor. If 좀 is also used, the request sounds more polite.

G22

–고 싶다 (to want to~) is used to express one's desire, wish, or hope to do something. It attaches to verb stems.

Ex. 비빔밥을 먹고 싶어요.
(I want to eat bibimbap.)

3

가 (뭘, 누구를, 언제 …) –고 싶어요?
나 –고 싶어요.

다음 보기 와 같이 주어진 단어를 사용하여 대화를 완성하세요.

Use the words in parentheses to complete the following dialogues as in the example.

보기
가 뭘 하고 싶어요? (뭘 하다)
나 영화를 보고 싶어요. (영화를 보다)

(1) 가 ______________________고 싶어요? (누구를 만나다)
나 ______________________고 싶어요. (가수 '비'를 만나다)

(2) 가 ______________________고 싶어요? (뭘 마시다)
나 ______________________고 싶어요. (물을 마시다)

(3) 가 ______________________________? (뭘 하다)
나 ______________________________. (게임을 하다)

(4) 가 ______________________________? (언제 가다)
나 ______________________________. (주말에 가다)

4

–ㄴ
은 명사

다음 보기 와 같이 주어진 단어를 사용하여 알맞은 형태로 쓰세요.

Write the correct forms of the words in parentheses in the blanks.

보기 매운 음식 (맵다)

(1) ______________ 날씨 (춥다)

(2) ______________ 차 (뜨겁다)

(3) ______________ 경치 (아름답다)

(4) ______________ 날씨 (덥다)

▶ 맵다 to be spicy | 춥다 to be cold (weather) | 날씨 weather | 뜨겁다 to be hot (food, drink) | 차 tea | 아름답다 to be beautiful | 경치 scenery | 덥다 to be hot (weather)

핵심 문형 Key Grammatical Patterns

G23

–고 싶어요? is often used with question words, such as 무엇/뭐/뭘 (what), 누구를 (whom), 언제 (when), 어디에 (where).

G24

ㅂ irregular adjectives:
–ㄴ/은 is the pre-nominal ending form of adjectives. Depending on whether an adjective stem has a final consonant, either –ㄴ or –은 is attached when used in front of a noun. For ㅂ irregular adjectives, the ㅂ of the adjective stem is replaced with 우, to which ㄴ is then attached to form the pre-nominal form.

Ex. 맵다 → 매운
춥다 → 추운

회화 연습 1 Conversation Practice 1

track 58

종업원 뭘 드릴까요?

가 ______ 씨, 뭘 먹고 싶어요?

나 저는 ______ 음식을 좋아해요.

______ -을/-를 먹고 싶어요.

가 그럼, ______ 하고 ______ 주세요.

● 위 대화문 빈칸에 다음의 단어를 사용하여 두 사람씩 짝을 지어 식당에서 주문해 보세요.

With your classmates try ordering food at a restaurant using the words below and practicing the dialogue above.

맛 Taste

맵다(매운 + N) to be spicy

시다(신 + N) to be sour

달다(단 + N) to be sweet

차갑다(차가운 + N) to be cold

짜다(짠 + N) to be salty

싱겁다(싱거운 + N) to be bland

뜨겁다(뜨거운 + N) to be hot

시원하다(시원한 + N) to be cool, refreshing

음식 이름 Food Names

비빔밥
bibimbap (rice with assorted ingredients)

불고기
bulgogi (grilled beef or pork)

냉면
naengmyeon (cold noodles)

된장찌개
doenjang jjigae (bean paste stew)

순두부
sundubu (bean curd soup)

김치찌개
kimchi jjigae (kimchi stew)

삼계탕
samgyetang (chicken broth with ginseng)

육개장
yukgaejang (beef soup with various ingredients)

김밥
gimbap (rice rolled in dried laver)

회화 연습 2 Conversation Practice 2

track 59

가 ______ 씨는 무슨 음식을 좋아해요?

나 저는 ______ -을/-를 좋아해요.

가 무슨 ______ -을/-를 먹고 싶어요?

나 ______ -을/-를 먹고 싶어요.

가 그럼 ______ 에 갈까요?

위 대화문 빈칸에 다음의 단어를 사용하여 두 사람씩 짝을 지어 이야기해 보세요.
With your classmate, complete the above dialogue using the words below.

한국 음식 (한식) Korean food	중국 음식 (중식) Chinese food	일본 음식 (일식) Japanese food	이태리 음식 (이태리식) Italian food
불고기 bulgogi	자장면 jajangmyeon	생선회 sashimi	피자 pizza
냉면 naengmyeon	짬뽕 jjambbong	초밥 vinegared rice	파스타 pasta
된장찌개 doenjang jjigae	탕수육 sweet-and-sour pork	우동 udon	라자냐 lasagna
삼계탕 samgyetang	깐풍기 fried chicken seasoned with spicy sauce	회덮밥 sashimi-topped rice	리조또 risotto

식당 Restaurants

한식당 Korean restaurant

중식당 Chinese restaurant

이태리 식당 Italian restaurant

일식당 Japanese restaurant

과제 1 Task 1 말하기 Speaking

1 다음 식당 중 하나를 골라 친구와 함께 보기 와 같이 식사와 음료수를 주문해 보세요.
Choose one of the restaurants from below and try ordering food and drinks with your classmate as in the example.

한식당 Korean restaurant

비빔밥 bibimbab　　물냉면 mulnaengmyeon
비빔냉면 bibimnaengmyeon
불고기 bulgogi　　삼계탕 samgyetang

콜라 cola　　사이다 soda pop
맥주 beer

중식당 Chinese restaurant

자장면 jajangmyeon　　짬뽕 jjambbong
탕수육 sweet-and-sour pork
깐풍기 fried chicken seasoned with spicy sauce

콜라 cola　　사이다 soda pop
맥주 beer

일식당 Japanese restaurant

생선회 sashimi　　초밥 vinegared rice
회덮밥 sashimi-topped rice
우동 udon

콜라 cola　　사이다 soda pop
맥주 beer

양식당 Western restaurant

스테이크 steak　　피자 pizza
스파게티 spaghetti　　리조또 risotto

콜라 cola　　사이다 soda pop
와인 wine

보기

종업원 뭘 드릴까요?
가 ________ 씨는 뭘 좋아해요?
나 저는 **자장면**을 먹고 싶어요.
________ 씨는요?
가 저는 **짬뽕**을 먹고 싶어요.
나 그럼 **자장면** 하나, **짬뽕** 하나 주세요.
종업원 음료수는요?
가 저는 **콜라**요.
나 저도요.

2 친구에게 주말이나 방학에 무엇을 하고 싶은지 다음의 주제에 대해 보기 와 같이 질문하세요.

Ask your classmate what he or she wants to do during the weekend or vacation, and ask him or her about the following topics as in the example.

여 행 Travel	하와이 Hawaii	파리 Paris	제주도 Jeju Island	베이징 Beijing
영 화 Movie	쿵푸팬더 Kung Fu Panda	링 Ring	해리포터 Harry Potter	러브 액츄얼리 Love Actually
등 산 Hiking	북한산 Bukhan Mountain	지리산 Jili Mountain	설악산 Seolak Mountain	도봉산 Dobong Mountain
쇼 핑 Shopping	옷 clothes	구두 shoes	가방 bag	모자 hat

보기

가 ______ 씨는 주말에 무엇을 하고 싶어요?

나 저는 **영화**를 보고 싶어요.

가 무슨 **영화**를 보고 싶어요?

나 **'쿵푸 팬더'**를 보고 싶어요. ______ 씨는요?

가 저는 **쇼핑**을 하고 싶어요.

나 **무엇을 사고** 싶어요?

가 **옷을 사고** 싶어요.

과제 2 Task 2 읽기와 쓰기 Reading & Writing

1 **다음 *제임스* 씨의 글을 읽고 질문에 답하세요.** Read the following passage by James and answer the questions.

저는 불고기를 좋아해요. 불고기는 아주 맛있어요. 친구는 순두부를 좋아해요. 친구는 매운 음식을 좋아해요. 우리는 학교 앞 한식당에 자주 가요. 거기에서 불고기하고 순두부를 먹어요. 식사 후에 식당 옆 *카페*에 가요. 시원한 *아이스커피*를 마셔요.

(1) *제임스* 씨는 무슨 음식을 좋아해요? What kind of food does James like?

㉮ 비빔밥　　㉯ 불고기　　㉰ 순두부　　㉱ 냉면

(2) *제임스* 씨하고 친구는 어디에서 자주 밥을 먹어요? Where do James and his friend often have a meal?

____

(3) *제임스* 씨는 식사 후에 무엇을 해요? What does Jame do after a meal?

____

2 **여러분이 좋아하는 음식과 자주 가는 식당을 써 보세요.**
Write about a food you like to eat and a restaurant you like to go to.

저는 　　　　　　을/를 좋아해요.

▶ 거기에서 at there | 식사 후 after a meal | *카페* cafe | *아이스커피* iced coffee

과제 3 Task 3 듣기 Listening

1 **다음을 잘 듣고 맞는 것끼리 연결하세요.** Listen carefully and connect each pair of matching items with a line. track 62

(1) • • ㉮

(2) • • ㉯

(3) • • ㉰

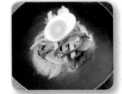

2 **다음을 잘 듣고 질문에 답하세요.** Listen carefully and answer the following questions. track 63

(1) 여기는 어디예요? Where place is this?

㉮ 

㉯ 

㉰ 

㉱ 

(2) 두 사람은 무엇을 주문했어요? What did they order?

㉮ 

㉯ 

㉰ 

㉱ 

3 **다음을 잘 듣고 내용과 맞으면 ○, 다르면 ×표 하세요.** track 64

Listen to the following dialogue and indicate whether the statements below are true with an O or false with an X.

(1) 저는 비빔밥하고 냉면을 좋아해요. (　　)

(2) 오늘도 비빔밥을 먹고 싶어요. (　　)

Unit 07

집에서 쉬었어요.

I relaxed at home.

준비 Warming Up

다음 그림에 알맞은 것을 ㉮~㉶에서 골라 빈칸에 써넣으세요.

Look at the pictures and fill in the blanks with the appropriate letter from among ㉮ to ㉶.

㉮ 구두　　㉯ 티셔츠　　㉰ 운동화　　㉱ 바지　　㉲ 치마

㉳ 전자사전　　㉴ 목걸이　　㉵ *MP3*　　㉶ 화장품

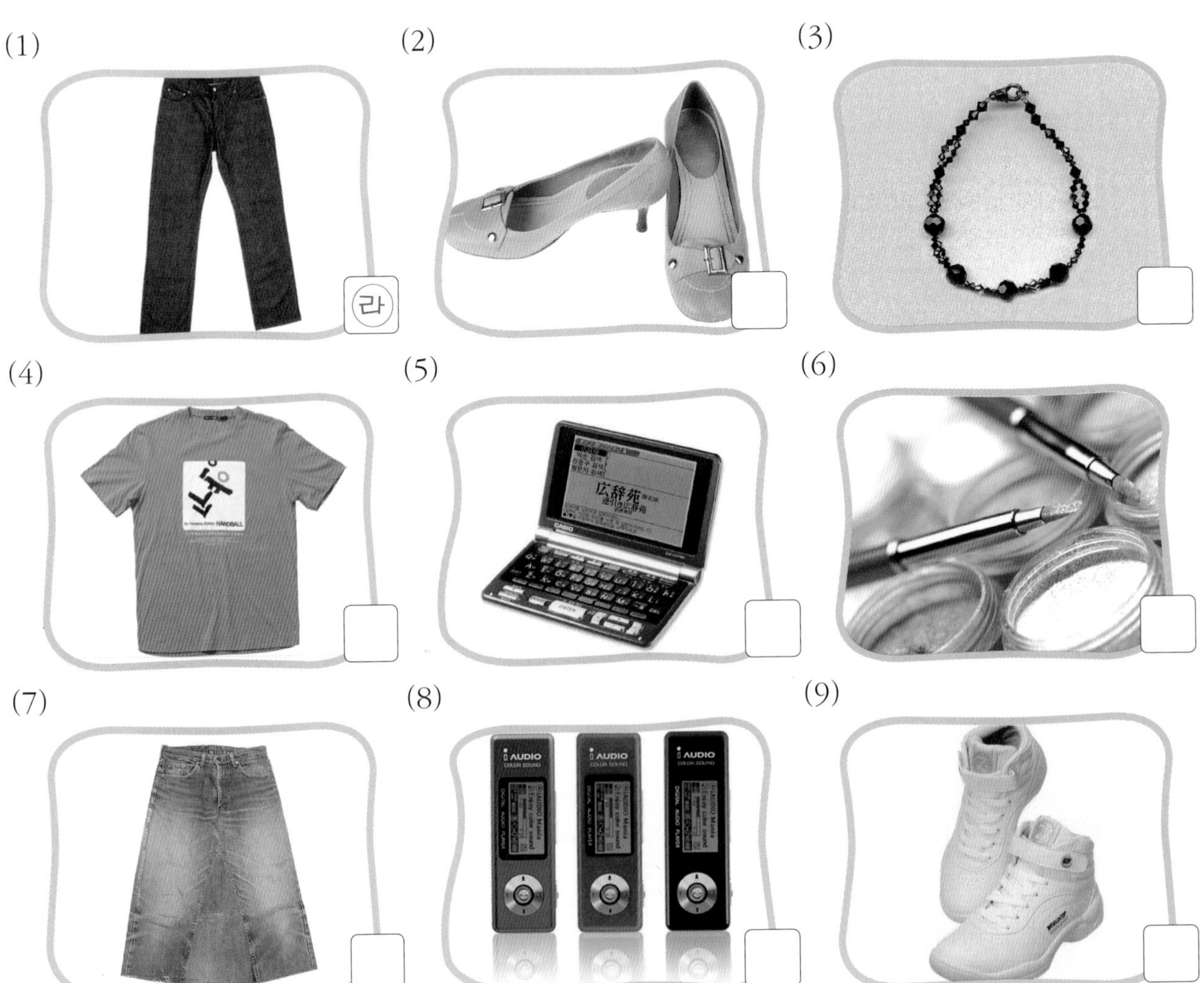

대화 Dialogue

히로 영희 씨, 주말에 뭘 했어요?

영희 집에서 쉬었어요. 히로 씨는 뭘 했어요?

히로 일본에서 누나가 왔어요.
누나하고 같이 쇼핑을 했어요.

영희 어디에 갔어요?

히로 동대문시장에 갔어요. 옷과 신발을 샀어요.
아주 쌌어요.

Hiro Yeonghee, what did you do over the weekend?

Yeonghee I relaxed at home. What did you do?

Hiro My elder sister visited me from Japan.
We went shopping together.

Yeonghee Where did you go?

Hiro We went to Dongdaemun Market and bought clothes and shoes. They were very cheap.

새 단어 New Words

쉬다 to relax	-에서 from
오다 to come	싸다 to be cheap
동대문시장 Dongdaemun Market	

track
66

발음 Pronunciation

Palatalization

When the final consonants "ㄷ, ㅌ" are followed by the vowel "이", they are pronounced as /ㅈ, ㅊ/, respectively.

- 같이 [가치]
- 받이 [바치]
- 밑이 [미치]

Tensification

When the final consonants /ㄱ, ㄷ, ㅂ/ are followed by the initial sounds "ㄱ, ㄷ, ㅂ, ㅅ, ㅈ", the initial sounds are pronounced as their tensed counterparts /ㄲ, ㄸ, ㅃ, ㅆ, ㅉ/.

- 옷과 [옫꽈]
- 젓가락 [젇까락]
- 숟가락 [숟까락]

문형 연습 Pattern Practice

① –와/과

다음 보기 와 같이 '와/과'를 써서 주어진 단어를 연결하세요.
Connect the word pairs in parentheses using '와/과'.

보기 바지와 티셔츠 (바지, 티셔츠)　　옷과 신발 (옷, 신발)

(1) ____________________ (목걸이, 귀걸이)

(2) ____________________ (전자사전, MP3)

(3) ____________________ (지갑, 넥타이)

(4) ____________________ (모자, 가방)

(5) ____________________ (화장품, 반지)

▶ 귀걸이 earrings | 반지 ring | 지갑 wallet | 넥타이 necktie

② 가 어디에 갔어요? 나 –에 갔어요.

다음 보기 와 같이 주어진 단어를 사용하여 대화를 완성하세요.
Use the words in parentheses to complete the following dialogues as in the example.

보기
가 어디에 갔어요?
나 놀이 공원에 갔어요. (놀이 공원)

(1) 가 어디에 갔어요?
나 ____________________. (부산)

(2) 가 어디에 갔어요?
나 ____________________. (공항)

(3) 가 ____________________?
나 ____________________. (제주도)

(4) 가 ____________________?
나 ____________________. (동물원)

▶ 공항 airport | 동물원 zoo

핵심 문형 Key Grammatical Patterns

G25

When connecting two nouns with –와/과, if the first noun has a final consonant, –과 is used, while –와 is used if the noun ends in a vowel.

Ex. 책과 잡지
(book(s) and magazine(s))
잡지와 책
(magazine(s) and book(s))

☞ **G6** –하고
책하고 잡지
잡지하고 책

G26

1) When attached to a noun indicating a place, –에 designates a location.

*Tip: Keep the phrase –에 가다/오다 in mind to help you remember this meaning of –에.

Ex. 놀이 공원에 갔어요.
(I went to an amusement park.)

2) 갔어요 is the informal past tense of 가다.

☞ **G27**, **G28** Past tense

3

−에서 −었 / −았 / −였 어요.

다음 보기 와 같이 알맞은 문장을 쓰세요.

Use the words in parentheses to complete the following dialogues as in the example.

보기 일본에서 누나가 왔어요. (일본, 누나가 오다)

(1) ________ 에서 ________________. (중국, 친구가 오다)

(2) ________ 에서 ________________. (학교, 돌아오다)

(3) ________________________. (서울역, 출발하다)

(4) ________________________. (태국 여행, 돌아오다)

▶ 돌아오다 to return (home) | 서울역 Seoul Station | 출발하다 to depart | 태국 Thailand

4

가 주말에 뭘 했어요?

나 −었 / −았 / −였 어요.

다음 보기 와 같이 주어진 단어를 사용하여 대화를 완성하세요.

Use the words in parentheses to complete the following dialogues as in the example.

보기

가 주말에 뭘 했어요?

나 컴퓨터를 샀어요. 좀 비쌌어요. (컴퓨터를 사다, 좀 비싸다)

(1) 가 주말에 뭘 했어요?

나 ________________________. (영화를 보다, 재미있다)

(2) 가 주말에 뭘 했어요?

나 ________________________. (삼계탕을 먹다, 맛있다)

(3) 가 ________________________?

나 ________________________. (이사를 하다, 힘들다)

▶ 컴퓨터 computer | 이사를 하다 to move (one's place of residence) | 힘들다 to be strenuous, to be difficult

핵심 문형 Key Grammatical Patterns

G27

−에서 attaches to location nouns and expresses the starting point for movement. Here, it has the meaning of 'from.' The past tense final ending −었어요 is formed in the same way as the present tense informal −어요 G20 (depending on the final vowel of the verb stem the form will be different. For example, in the case of 오다, because the vowel of the verb stem is ㅗ, it is attached to −았− to form 왔어요.

G28

Past tense of verbs and adjectives:

Depending on the final vowel of the verb or adjective stem, either −았−, −었−, or −였− is attached. For the vowels ㅏ, ㅗ, and ㅑ, −았− is attached; for all other vowels, −었− is attached. Finally, when the form is N + 하다, −였− is attached, but this is often shortened to 했− (하였 → 했).

Ex. 1) Stem vowel = ㅏ, ㅗ, and ㅑ:

가 + 았 → 갔−

오 + 았 → 왔−

2) Stem vowel = NOT ㅏ, ㅗ, and ㅑ:

먹 + 었 → 먹었−

배우 + 었 → 배웠−

만들 + 었 → 만들었−

가르치 + 었 → 가르쳤−

지내 + 었 → 지냈−

회화 연습 1 Conversation Practice 1

track 67

가 ______ 씨, 주말에 뭘 했어요?

나 저는 ______________.

______ 씨는 뭘 했어요?

가 저는 ______________.

______________.

● 위 대화문 빈칸에 다음의 단어를 사용하여 두 사람씩 짝을 지어 대화해 보세요.

Use the following words to complete the above dialogue and practice talking with your classmate.

동사 Verbs

동대문시장에 가다
to go to Dongdaemun Market

영화를 보다
to watch (see) a movie

친구를 만나다
to meet a friend

공부를 하다
to study

한식당에서 *삼계탕*을 먹다
to eat samgyetang at a Korean restaurant

이사를 하다
to move (one's residence)

형용사 Adjectives

(사람이) 많다
to be many (people)

재미있다
to be interesting

좋다
to be good

어렵다
to be difficult

맛있다
to be delicious, tasty

힘들다
to be strenuous, difficult

회화 연습 2 Conversation Practice 2

track 68

가 ______ 씨, 주말에 뭘 했어요?

나 주말에 ________ 에 갔어요.

가 ________ 에서 뭘 샀어요?

나 ________ -와/-과 ________ -을/-를 샀어요.

● 위 대화문 빈칸에 다음의 단어를 사용하여 두 사람씩 짝을 지어 이야기해 보세요.
Use the words below to practice conversation with your classmate.

▶ 라면 ramyeon (noodles) | 음료수 drinks | 야채 vegetables | 휴지 tissue

과제 1 Task 1 말하기 Speaking

● 보기 와 같이 친구들에게 주말에 한 일을 질문해 보세요.

Ask your classmates what they did over the weekend as in the example.

코엑스에서 영화를 보다

to watch a movie at COEX

롯데월드에 가다

to go to Lotte World

인사동을 구경하다

to sightsee Insadong

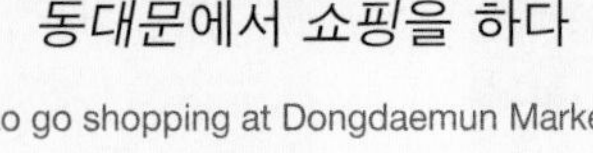

동대문에서 쇼핑을 하다

to go shopping at Dongdaemun Market

한강 유람선을 타다

to take the Han River Cruise

보기

가 ______ 씨, 주말에 뭘 했어요?

나 코엑스에서 영화를 봤어요.

가 무슨 영화를 봤어요?

나 '놈놈놈'을 봤어요.

가 재미있었어요?

나 아주 재미있었어요.

▶ 코엑스 COEX | 롯데월드 Lotte World | 인사동 Insadong | 한강 유람선을 타다 to take the Han River Cruise

과제 2 Task 2 읽기와 쓰기 Reading & Writing

1 **다음 *히로* 씨의 이야기를 잘 읽고 질문에 맞는 답을 쓰세요.**
Read the following passage by Hiro and then answer the questions.

어제 친구하고 용산 전자상가에 갔어요. 저는 노트북을 사고 싶었어요. 그리고 친구는 *MP3*를 사고 싶어 했어요. 용산 전자상가는 아주 컸어요. 전자제품도 아주 많았어요. 우리는 오랫동안 구경했어요. 노트북은 좀 비쌌어요. 그래서 친구만 *MP3*를 샀어요.

(1) *히로* 씨와 *히로* 씨 친구는 어디에 갔어요? Where did Hiro and his friend go?

____

(2) *히로* 씨와 *히로* 씨 친구는 무엇을 사고 싶어요? What did Hiro and his friend want to buy?

① *히로* ● ● ㉮ *MP3*

② 친구 ● ● ㉯ 노트북

(3) 다음 중 위 글의 내용과 다른 것을 고르세요.
Choose the item that does not match the content of the above passage.

㉮ 노트북은 좀 비쌌어요.

㉯ *히로* 씨만 노트북을 샀어요.

㉰ 용산 전자상가는 아주 컸어요.

㉱ *히로* 씨와 *히로* 씨 친구는 오랫동안 구경했어요.

▶ 노트북 laptop computer | 그리고 and | 크다 to be big | 전자제품 electronics | 많다 to be many | 오랫동안 for a long time | -을/를 구경하다 to sightsee | 그래서 therefore, so | -만 only

2 다음 수정의 이야기를 잘 읽고 질문에 맞는 답을 쓰세요.

Read the following passage by Sujeong, and then answer the questions.

주말에 친구가 일본에서 왔어요. 우리는 경복궁과 남산을 구경했어요. 명동하고 동대문시장에도 갔어요. 친구는 동대문시장에서 한복과 한국 전통 인형을 샀어요. 한복이 아주 예뻤어요. 그리고 불고기와 비빔밥도 먹었어요. 친구는 불고기를 아주 좋아했어요.

(1) 다음 중 위 글의 내용과 같은 것을 고르세요. Choose the item that matches the content of the above passage.

㉮ 주말에 중국에서 수정 씨 친구가 왔어요.
㉯ 수정 씨 친구는 명동에서 한복을 샀어요.
㉰ 수정 씨와 수정 씨 친구는 불고기와 비빔밥을 먹었어요.
㉱ 수정 씨 친구는 비빔밥을 아주 좋아했어요.

(2) 수정 씨와 수정 씨 친구는 어디를 구경했어요? Where did Sujeong and her friend go to sightsee?

____

(3) 수정 씨 친구는 동대문시장에서 무엇을 샀어요? What did Sujeong's friend buy at Dongdaemun Market?

____

3 여러분은 주말에 무엇을 했어요? 써 보세요. What did you do over the weekend? Write about it below.

____

____

____

____

____

▶ 경복궁 Gyeongbok Palace | 한복 Hanbok | 전통 인형 traditional doll | 예쁘다 to be pretty

과제 3 Task 3 듣기 Listening

1 **다음을 잘 듣고 맞는 그림을 고르세요.** Listen carefully and connect each pair of matching items with a line.

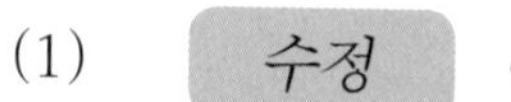

(1) 수정 •   • ㉮

(2) 히로 •   • ㉯

(3) 지영 •   • ㉰

2 **다음을 잘 듣고 맞는 것을 고르세요.** Listen carefully and choose the correct answer.

(1) 왕핑 씨는 주말에 뭘 했어요? What did Wangping do last weekend?

㉮ 언니하고 중국에 갔어요.   ㉯ 언니하고 시내 구경을 했어요.
㉰ 언니하고 식사를 했어요.   ㉱ 언니하고 산책을 했어요.

(2) 왕핑 씨하고 언니는 뭘 샀어요? What did Wangping and her older sister buy?

㉮   ㉯   ㉰   ㉱

3 **다음을 잘 듣고 맞는 답을 쓰세요.** Listen carefully and write the correct answers in the blanks.

(1) 어제 어디에 갔어요? Where did this person go yesterday?

____

(2) 뭘 샀어요? What did this person buy?

____

Unit 08

백화점 정문 앞에서 세 시에 만나요.

Let's meet at 3 o'clock in front of the department store.

준비 Warming Up

다음은 어디일까요? 다음 그림에 알맞은 것을 ㉮~㉶에서 골라 빈칸에 써넣으세요.

Where were these pictures taken? Look at the pictures and fill in the blanks with the appropriate letter from among ㉮ to ㉶.

㉮ 인사동　㉯ 경복궁　㉰ 이태원　㉱ 대학로　㉲ N서울타워

㉳ 동대문시장　㉴ 63빌딩　㉵ 롯데월드　㉶ 코엑스

대화 Dialogue

track 73

영희 히로 씨, 누나는 일본에 언제 가세요?

히로 다음 주 토요일에 돌아가요.

영희 그럼 이번 주말에 같이 인사동에 갈래요?

히로 좋아요. 저도 가고 싶었어요.
어디서 만날까요?

영희 서울백화점 정문 앞에서 세 시에 만나요.

히로 인사동 구경을 하고 저녁도 먹어요.

Yeonghee Hiro, when will your sister go to Japan?

Hiro She'll go back next Saturday.

Yeonghee Then, shall we go to Insadong together this weekend?

Hiro Okay. I've been wanting to go there.
Where shall we meet?

Yeonghee Let's meet at 3 o'clock in front of Seoul Department Store.

Hiro We can look around Insadong and also have dinner together.

새 단어 New Words

다음 next
어디서 where, at
세 시 3 o'clock
-에 돌아가다 to return, to go back
정문 main gate
구경을 하다 to sightsee

1시 (한 시) one o'clock	2시 (두 시) two o'clock	3시 (세 시) three o'clock
4시 (네 시) four o'clock	5시 (다섯 시) five o'clock	6시 (여섯 시) six o'clock
7시 (일곱 시) seven o'clock	8시 (여덟 시) eight o'clock	9시 (아홉 시) nine o'clock
10시 (열 시) ten o'clock	11시 (열한 시) eleven o'clock	12시 (열두 시) twelve o'clock

track 74

발음 Pronunciation

Consonant alteration to aspirate sounds

When "ㅎ" appears after "ㄱ, ㄷ, ㅂ, ㅈ", "ㄱ, ㄷ, ㅂ, ㅈ" are pronounced as /ㅋ, ㅌ, ㅍ, ㅊ/, respectively.

- 백화점 [배콰점]
- 입학 [이팍]
- 축하 [추카]

문형 연습 Pattern Practice

1

–세요?
–으세요?

다음 보기 와 같이 주어진 단어를 사용하여 문장을 완성하세요.

Use the words in parentheses to complete the following sentences as in the example.

보기
언제 가세요? (언제, 가다)
무슨 책을 읽으세요? (무슨 책, 읽다)

(1) 무슨 운동 ______________________? (무슨 운동, 좋아하다)

(2) 언제 ______________________? (언제, 일본에 돌아가다)

(3) ______________________? (시간이 있다)

(4) ______________________? (이번 여름, 휴가를 떠나다)

▶ 돌아가다 to return, to go back | 여름 summer | 떠나다 to depart, to leave

2

가 **(같이) –ㄹ/–을 래요?**

나 **네. 좋아요. / 네. 같이 –어/–아/–여 요.**

다음 보기 와 같이 주어진 단어나 표현을 사용하여 대화를 완성하세요.

Use the words in parentheses to complete the following dialogues as in the example.

보기
가 오늘 저녁에 같이 일식을 먹을래요? (오늘 저녁, 일식을 먹다)
나 네. 좋아요. / 네, 같이 일식을 먹어요.

(1) 가 토요일에 같이 ______________________? (토요일, 한국 영화를 보다)
나 네. 좋아요. / 네. 같이 ______________________.

(2) 가 내일 ______________________? (내일, 경복궁에 가다)
나 네. 좋아요. / 네. 같이 ______________________.

(3) 가 ______________________? (이번 주말, 코엑스에 가다)
나 네. 좋아요. / 네. 같이 ______________________.

핵심 문형 Key Grammatical Patterns

G29

–(으)세요? is a respectful interrogative final ending. If the predicate stem has a final consonant, –으세요? is used ; otherwise, –세요? is used.

Ex. 1) Without a final consonant:
가세요?
2) With a final consonant:
읽으세요?

However, there are a few verbs that have special counterpart verbs used to express respect:

Ex. 먹다 – 잡수시다 (or 드시다)
자다 – 주무시다
있다 – 계시다
말하다 – 말씀하시다

G30

–ㄹ/을래요? is used in the sense of –겠어요? and –고 싶어요? with people one is close to as a way of inquiring about their intentions. When the verb stem has no final consonant –ㄹ래요? is used, but when there is a final consonant –을래요? is used. Here, 같이 –어요 is used in response to the speaker's inquiry to express the same meaning as the suggestive form –ㅂ시다.

Ex. 가 : 지금 갈래요?
(Do you want to go now?)
나 : 네. 가요.
(Yes, let's go.)

3

가 어디서 -ㄹ 까요? / -을 까요?

나 -에서 -어 / -아 / -여 요.

다음 보기 와 같이 주어진 단어를 사용하여 대화를 완성하세요.

Use the words in parentheses to complete the following dialogues as in the example.

보기
가 어디서 만날까요? (만나다)
나 학교 정문 앞에서 만나요. (학교 정문 앞)

(1) 가 어디서 ______________________? (영화를 보다)
나 ____________ 에서 ____________. (코엑스)

(2) 가 어디서 ______________________? (쇼핑하다)
나 ____________ 에서 ____________. (동대문시장)

(3) 가 ______________________? (밥을 먹다)
나 ______________________. (일식당)

(4) 가 ______________________? (커피를 마시다)
나 ______________________. (스타벅스)

▶ 스타벅스 Starbucks

4

-고

다음 보기 와 같이 주어진 표현을 사용하여 문장을 완성하세요.

Use the words in parentheses to complete the following sentences as in the example.

보기 운동을 하고 샤워를 해요. (운동을 하다, 샤워를 하다)

(1) ______________________. (세수하다, 아침을 먹다)

(2) ______________________. (저녁을 먹다, 차를 마시다)

(3) ______________________. (일이 끝나다, 운동을 하다)

▶ 샤워를 하다 to take a shower | 세수하다 to wash one's face | -이/가 끝나다 to finish

핵심 문형 Key Grammatical Patterns

G31

Suggestive form -어요 :

-ㄹ/을까요? is an interrogative final ending used to propose doing something together with the listener (☞ G16). Accordingly, here it is answered with the informal suggestive form -(어/아/여)요 to suggest an action in response to the proposition.

Ex. 가 : 뭘 먹을까요?
(What shall we eat?)
나 : 불고기를 먹어요.
(Let's have bulgogi.)

G32

-고 is a connective ending that attaches to verb stems to indicate the order of actions.

Ex. 운동을 하고 샤워를 해요.
(I exercise and (then) take a shower.)

회화 연습 1 Conversation Practice 1

track 75

가 ______ 씨, 아침에 뭐해요?

나 저는 세수를 하고 ______.

그리고 ______.

______ 씨는 어때요?

가 저는 ______ 고 ______.

그리고 ______.

- 친구에게 학교 오기 전에 아침에 무엇을 하는지 물어보세요.

Ask your classmate what he or she does in the morning before coming to class.

동사 Verbs

세수하다
to wash one's face

아침을 먹다
to eat breakfast

운동을 하다
to do exercise

신문을 보다
to read the newspaper

화장을 하다
to put on makeup

이를 닦다
to brush one's teeth

면도를 하다
to shave

옷을 입다
to put on clothes

회화 연습 2 Conversation Practice 2

track 76

가 이번 주말에 같이 ________ 에 갈래요?

나 좋아요. 저도 한번 가고 싶었어요.

어디서 만날까요?

가 ________ 에서 만나요.

나 네. 좋아요.

● 반 친구와 주말에 갈 곳과 만날 장소를 정하세요.

With your classmate, decide where to meet and where to go over the weekend.

장소 Places

N서울타워
NSeoul Tower

동대문시장
Dongdaemun Market

롯데월드
Lotte World

이태원
Itaewon

코엑스
COEX

대학로
Daehangno

위치 Location

학교 정문 앞
in front of the school main gate

동대문역
Dongdaemun Station

도서관 앞
in front of the library

이태원역
Itaewon Station

기숙사 앞
in front of the dormitory

어학당 앞
in front of the language institute

과제 1 Task 1 말하기 Speaking

● 보기 와 같이 친구와 주말 약속을 잡아 보세요.
Practice deciding a weekend plan with your classmates as in the example.

	제안 1	약속 장소, 시간	제안 2
친구1	인사동에 가다	도서관 앞, 저녁 6시	인사동 구경을 하다 전통차를 마시다
친구2	영화를 보다		
친구3	운동하다		
친구4			
친구5			

보기

가 이번 주말에 같이 **인사동에 갈까요?**

나 좋아요. 어디서 만날까요?

가 **도서관 앞**에서 **저녁 6시**에 만나요.

나 **인사동 구경을 하고 전통차도 마셔요.**

▶ 전통차 traditional Korean tea

과제 2 Task 2 읽기와 쓰기 Reading & Writing

1 다음에 나오는 *제임스* 씨의 하루 일과를 읽고 질문에 맞는 답을 쓰세요.
Read the following description of James' daily routine and answer the questions.

저는 보통 아침에 수영을 해요. 수영을 하고 아침을 먹고 학교에 가요. 학교에서 한국어를 배워요. 그리고 친구와 같이 점심을 먹고 도서관에서 숙제를 해요. 먼저 숙제를 하고 놀아요. 저녁에는 *아르바이트*를 해요. *아르바이트*를 하고 8시쯤 집에 와요. 집에서 저녁을 먹고 *텔레비전*을 조금 보고 12시쯤 자요.

(1) *제임스* 씨의 하루 일과를 순서대로 번호를 써 보세요.
Write the numbers corresponding to James' daily routine in the correct order.

④ → ___ → ___ → ___ → ___ → ___ → ___ → ⑦

(2) *제임스* 씨가 저녁에 <u>하지 않는</u> 것은 뭐예요? Which of the following does James <u>not do</u> in the evening?

㉮ *아르바이트*를 해요. ㉯ 밥을 먹어요.

㉰ 숙제를 해요. ㉱ *텔레비전*을 봐요.

▶ 먼저 first | 놀다 to play, to have fun | -쯤 around | 조금 a little | 자다 to sleep

2 다음은 *나오키* 씨의 글이에요. 읽고 질문에 맞는 답을 쓰세요.

Read the following passage by Naoki and answer the questions.

저는 금요일마다 농구를 해요. 보통 금요일 오후에 학교에서 숙제를 하고 저녁에 농구를 해요. 지난 주 금요일에는 민우 씨와 같이 학교 운동장에서 농구를 했어요. 농구를 하고 같이 저녁도 먹었어요. 8시쯤에 민우 씨 여자 친구도 왔어요. 우리는 같이 맥주를 마시고 노래방에 갔어요. 노래방에서 노래를 불렀어요. 아주 재미있었어요.

(1) 다음 중 위 글의 내용과 다른 것을 고르세요.
Choose the statement that does not match the content of the above passage.

㉮ *나오키* 씨는 학교에서 숙제를 했어요.
㉯ *나오키* 씨는 운동을 하고 숙제를 했어요.
㉰ *나오키* 씨는 저녁을 먹고 맥주를 마셨어요.
㉱ *나오키* 씨는 지난주 금요일에 농구를 했어요.

(2) *나오키* 씨는 누구와 같이 맥주를 마셨어요? With whom did Naoki drink beer?

____

3 여러분의 하루 일과를 써 보세요. Write your own daily routine below.

____
____
____
____
____

▶ 운동장 playground | 우리 us, we | 맥주 beer | 노래방 noraebang, karaoke parlor

과제 3 Task 3 듣기 Listening

1 **다음을 잘 듣고 맞는 것끼리 연결하세요.** Listen carefully and connect each pair of matching items with a line.

(1) • • ㉮ 

(2) • • ㉯ 

(3) • • ㉰ 

2 **다음을 잘 듣고 순서대로 번호를 쓰세요.** Listen carefully and write the correct order of the events in the pictures.

① 

② 

③ 

④ 

⑤ 

_______ → _______ → _______ → _______ → ③

3 **다음 대화를 듣고 밑줄 친 곳을 채우세요.** Listen carefully to the dialogue and fill in the blanks.

(1) 미영 씨와 마이클 씨는 토요일 ________에 같이 영화를 봐요.

(2) 미영 씨와 마이클 씨는 _____시에 ____________에서 만나요.

(3) 미영 씨와 마이클 씨는 영화를 보고 ____________________.

Unit 09 2호선에서 3호선으로 갈아타야 해요.

You should transfer from subway Line 2 to Line 3.

준비 Warming Up

다음 그림에 알맞은 것을 ㉮~㉶에서 골라 빈칸에 써넣으세요.

Look at the pictures and fill in the blanks with the appropriate letter from among ㉮ to ㉶.

㉮ 출구　　㉯ 택시　　㉰ 버스　　㉱ 지하철　　㉲ -을/를 타다

㉳ -에서 내리다　　㉴ -(으)로 갈아타다　　㉵ 버스 정류장　　㉶ 표사는 곳

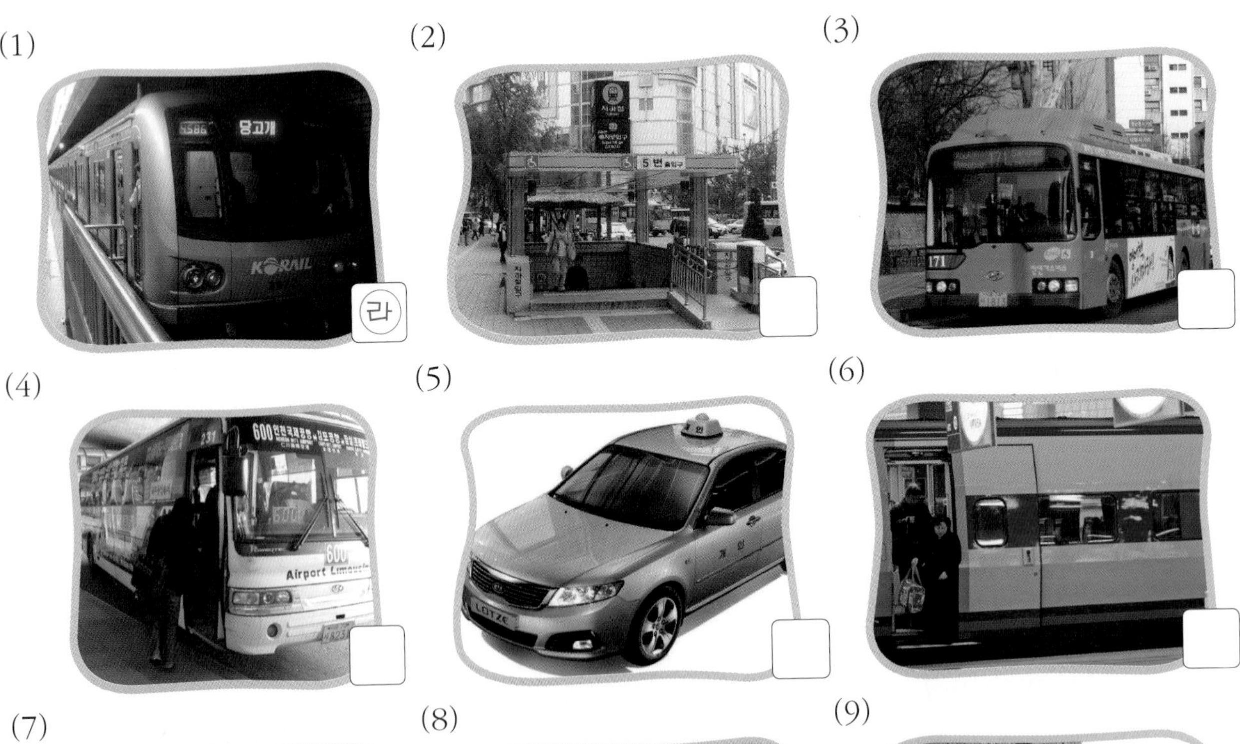

(7)

(8)

(9)

대화 Dialogue

track 81

히로	여기서 인사동은 어떻게 가요?
영희	직접 가는 버스가 없어요. 저쪽에서 지하철을 타야 해요.
히로	어디에서 내려요?
영희	3호선 안국역에서 내려서 6번 출구로 나가면 돼요.
히로	여기서 인사동까지 얼마나 걸려요?
영희	지하철로 20분쯤 걸려요.

Hiro	How do we get to Insadong from here?
Yeonghee	There is no direct bus, so we have to take that subway over there.
Hiro	Where should we get off?
Yeonghee	We should take subway Line 3, get off at Anguk Station and go out Exit 6.
Hiro	How long does it take to get to Insadong from here?
Yeonghee	It takes about 20 minutes by subway.

새 단어 New Words

어떻게 how	직접 direct(ly)
저쪽 (over) there	얼마나 how much (time)
(시간) 이/가 걸리다 to take (time)	
-호선 (subway) Line	까지 until, to

발음 Pronunciation

track 82

Consonant alteration to aspirate sounds

When "ㅎ" appears before "ㄱ, ㄷ, ㅂ, ㅈ", "ㄱ, ㄷ, ㅂ, ㅈ" are pronounced as /ㅋ, ㅌ, ㅍ, ㅊ/, respectively.

- 어떻게 [어떠케]
- 좋다 [조타]
- 많다 [만타]

Tensification

When the final consonants /ㄱ, ㄷ, ㅂ/ are followed by the initial sounds "ㄱ, ㄷ, ㅂ, ㅅ, ㅈ", the initial sounds are pronounced as their tensed counterparts /ㄲ, ㄸ, ㅃ, ㅆ, ㅉ/.

- 직접 [직쩝]
- 복잡 [복짭]
- 곧장 [곧짱]

Addition of the initial consonant ㄴ

When the final consonant /ㄱ/ is followed by the first consonant /ㅇ/, in the syllable, /ㄱ/ is pronounced as consonant /ㅇ/ and the initial consonant /ㅇ/ is pronounced consonant /ㄴ/.

- 안국역 [안궁녁]
- 종각역 [종강녁]

문형 연습 Pattern Practice

1

-어
-아 야 해요.
-여

다음 보기 와 같이 주어진 표현을 사용하여 문장을 완성하세요.
Use the words in parentheses to complete the following sentences as in the example.

보기 가야 해요. (가다) 읽어야 해요. (읽다) 청소해야 해요. (청소하다)

(1) 3호선을 ______________________. (3호선을 타다)

(2) 식후 30분에 ______________________. (식후 30분에 먹다)

(3) ______________________. (신분증을 준비하다)

(4) ______________________. (이름과 주소를 쓰다)

(5) ______________________. (책을 돌려주다)

▶ 식후 after a meal | 신분증 ID card | 주소 address | -을/를 돌려주다 to give back, to return (something)

2

-어
-아 서
-여

다음 보기 와 같이 주어진 표현을 사용하여 문장을 완성하세요.
Use the words in parentheses to complete the following sentences as in the example.

보기 안국역에서 내려서 6번 출구로 나가요.
(안국역에서 내리다, 6번 출구로 나가다)

(1) ______________________ 주었어요. (과자를 만들다, 친구에게 주었다)

(2) ______________________ 샀어요. (마트에 가다, 라면을 샀다)

(3) ______________________. (자장면을 시키다, 먹었다)

(4) ______________________. (선물을 사다, 보냈다)

(5) ______________________. (메모를 하다, 책상 위에 놓았다)

▶ -을/를 시키다 to order (food) | 메모를 하다 to write a memo | -에 놓다 to put, place (somewhere)

핵심 문형 Key Grammatical Patterns

G33

하다 is attached to the connective ending -(어/아/여)야 to indicate what should or must be done, in the sense of 'have to' or 'must'. Either -아야, -어야, or -여야 is added depending on the final vowel of the predicate stem.

Ex. 가 + 아야 해요 (→ 가야 해요)
오 + 아야 해요 (→ 와야 해요)
먹 + 어야 해요 (→ 먹어야 해요)
배우 + 어야 해요 (→ 배워야 해요)
만들 + 어야 해요 (→ 만들어야 해요)
입 + 어야 해요 (→ 입어야 해요)
보내 + 어야 해요 (→ 보내야 해요)
하 + 여야 해요 (→ 해야 해요)

G34

-(어/아/여)서 indicates the temporal order of two actions, with the action given in the first clause being closely related to the action given in the second clause. Note that the subject of both clauses must be the same.

Ex. 서점에 가서 (서점에서) 책을 샀어요.
(I went to the bookstore and bought a book (there).)

☞ G32 Compare with -고.

1) 친구를 만나고 영화를 봤어요. (I met a friend, and then saw a movie.)
(*I did not see the movie with the friend.)

2) 친구를 만나서 영화를 봤어요. (I met a friend and saw a movie.) (*We saw the movie together.)

3
−면 / −으면 돼요.

다음 보기 와 같이 주어진 표현을 사용하여 문장을 완성하세요.
Use the words in parentheses to complete the following sentences as in the example.

보기
3번 출구로 나가면 돼요. (3번 출구로 나가다)
이 약은 하루에 세 번 먹으면 돼요. (이 약은 하루에 세 번 먹다)

(1) 저쪽으로 ______________________. (저쪽으로 가다)
(2) 책상 위에 ______________________. (책상 위에 놓다)
(3) ______________________. (신분증을 준비하다)
(4) ______________________. (검정색 옷을 입다)

▶ 약 medicine

4
가 −은/는 어떻게 가요?
나 −로 / −으로 가면 돼요.

다음 보기 와 같이 주어진 단어를 사용하여 대화를 완성하세요.
Use the words in parentheses to complete the following dialogues as in the example.

보기
가 인사동은 어떻게 가요?(인사동) 가 여의도는 어떻게 가요?(여의도)
나 버스로 가면 돼요. (버스) 나 지하철로 가면 돼요. (지하철)

(1) 가 설악산 ______________________? (설악산)
나 고속버스 ______________________. (고속버스)
(2) 가 대학로 ______________________? (대학로)
나 버스 ______________________. (버스)
(3) 가 ______________________? (남산)
나 ______________________. (지하철)

▶ 여의도 Yeoido | 버스 bus | 지하철 subway | 고속버스 express bus

핵심 문형 Key Grammatical Patterns

G35
Here, connective ending −(으)면 combines with 되다 and attaches to the predicate stem to indicate that something is permissible under a certain condition. 괜찮다 can be used in place of 되다.
Ex. 가 : 늦지 않았어요? (Aren't you running late?)
나 : 3시까지 가면 돼요. (If I get there by 3 o'clock, I'm fine.)

G36
Here, −(으)로 is used with a noun representing a means of transportation, such as a bus, taxi, or automobile, to express how one travels somewhere. If the noun ends in a vowel or ㄹ, then −로 is used, and if the noun ends in any other consonant, −으로 is used
Ex. −로: 버스로 (by bus), 지하철로 (by subway)
−으로: 여객선으로 (by passenger ferry)

회화 연습 1 Conversation Practice 1

track 83

가 여기서 ________ -은/-는 어떻게 가요?

나 직접 가는 버스가 없어요.

저쪽에서 지하철을 타야 해요.

가 어디에서 내려야 돼요?

나 ________ 에서 내려서

____ 번 출구로 나가면 돼요.

● 위 대화문 빈칸에 다음의 단어를 사용하여 두 사람씩 짝을 지어 이야기해 보세요.

Practice with your classmates using the words below to complete the dialogue in the box above.

장소와 지하철역 Places and their subway stations

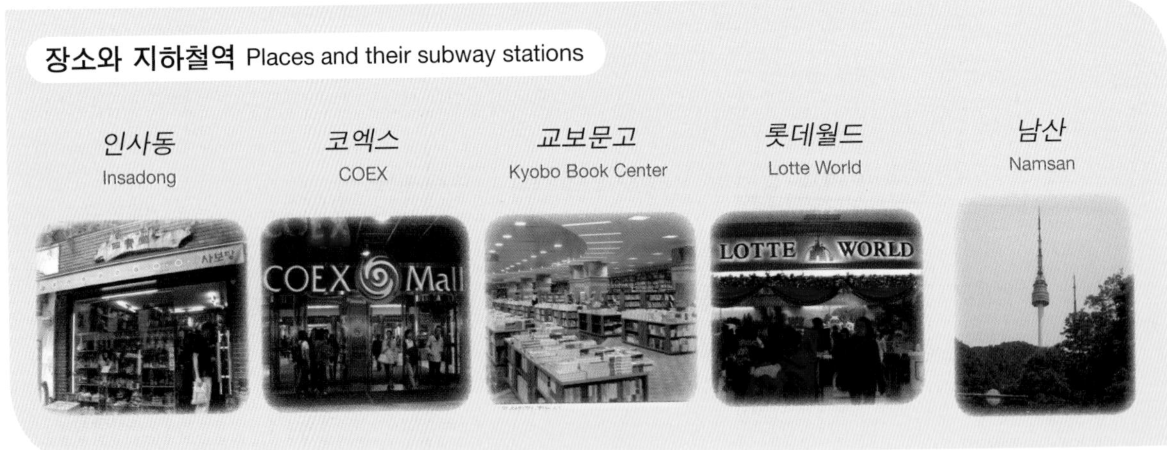

인사동 Insadong	코엑스 COEX	교보문고 Kyobo Book Center	롯데월드 Lotte World	남산 Namsan
3호선 안국역 Line 3 Anguk Station	2호선 삼성역 Line 2 Samseong Station	5호선 광화문역 Line 5 Gwanghwamun Station	2호선 잠실역 Line 2 Jamsil Station	4호선 명동역 Line 4 Meyongdong Station
3번 출구	4번 출구	5번 출구	6번 출구	7번 출구

회화 연습 2 Conversation Practice 2

track 84

가 여기서 ______ -은/-는 어떻게 가요?

나 ______ -은/-는 ______ 에서 가까워요.

1호선을 타고 ______ 에서

_____호선으로 갈아타면 돼요.

가 시간이 얼마나 걸려요?

나 지하철로 ______ 쯤 걸려요.

위 대화문 빈칸에 다음의 단어를 사용하여 두 사람씩 짝을 지어 이야기해 보세요.

Practice with your classmates using the words below to complete the dialogue in the box above.

가는 곳 Destination	갈아타는 곳 Transfer Station		내리는 곳 Final Station	걸리는 시간 Time Required
인사동 Insadong	종로3가역	3호선 →	안국역	25분
코엑스 COEX	왕십리역	2호선 →	삼성역	35분
남산 Namsan	동대문역	4호선 →	명동역	20분
롯데월드 Lotte World	왕십리역	2호선 →	잠실역	30분
교보문고 Kyobo Book Center	왕십리역	5호선 →	광화문역	25분

과제 1 Task 1 말하기 Speaking

● 지하철 노선도를 참고해서 다음 장소에 가는 방법을 묻고 보기 와 같이 대답해 보세요.

Refer to a subway map to discuss with a partner how to get to the following places as in the example.

신촌 ↓ 고속터미널	동대문 ↓ 롯데월드(잠실역)	시청역 ↓ 예술의 전당 (남부터미널역)	잠실역 ↓ 명동	사당역 ↓ 김포공항

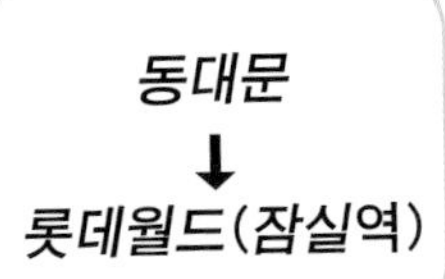

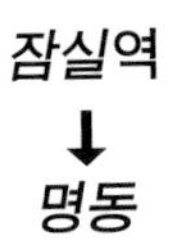

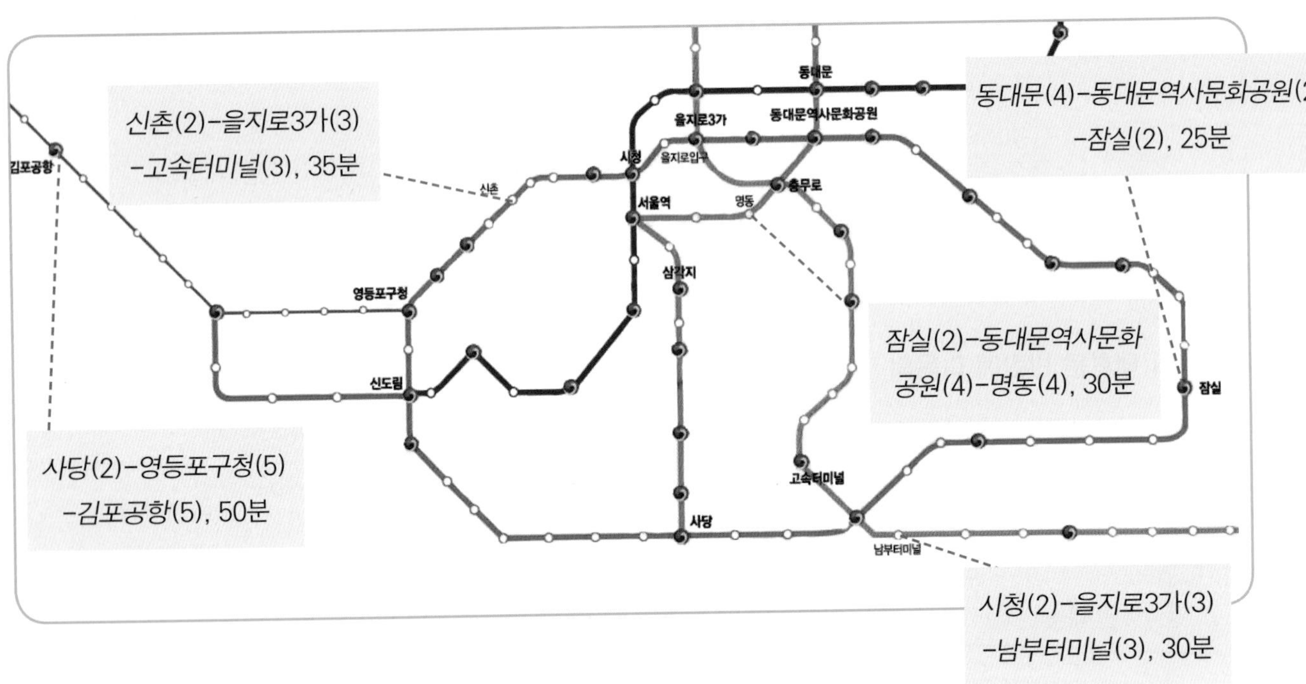

보기

가 ***신촌***에서 ***고속터미널***까지 어떻게 가요?

나 ***신촌***역에서 **2호선**을 타고 ***을지로3가역***에서 **3호선**으로 갈아타야 해요.

그리고 ***고속터미널역***에서 내리면 돼요.

가 ***고속터미널***까지 시간이 얼마나 걸려요?

나 **35분쯤** 걸려요.

과제 2 Task 2 읽기와 쓰기 Reading & Writing

1 다음 *나오미* 씨의 이야기를 잘 읽고 질문에 맞는 답을 쓰세요.
Read the following passge by Naomi and answer the questions.

어제 친구하고 같이 *경복궁*에 갔어요. 우리 집에서 *경복궁*까지는 교통이 불편해요. 바로 가는 *버스*가 없어요. 지하철도 많이 갈아타야 해요. 그래서 *택시*를 탔어요. *경복궁*은 아주 멋있었어요. 사진도 많이 찍었어요. 우리는 *명동*에도 갔어요. 먼저 *경복궁역*에서 지하철 3호선을 타고 *충무로*에서 4호선으로 갈아탔어요. 그리고 *명동역*에서 내렸어요. *명동*은 사람이 아주 많았어요. 그렇지만 재미있었어요.

(1) *나오미* 씨는 어제 어디에 갔어요? Where did Naomi go yesterday?

㉮ *경복궁*하고 *명동* ㉯ *신촌*하고 *명동* ㉰ *경복궁*하고 *충무로* ㉱ *충무로*하고 *명동*

(2) *나오미* 씨 집에서 *경복궁*까지 어떻게 갔어요? How did Naomi get to Gyeongbok Palace from her home?

㉮ 지하철로 ㉯ *버스*로 ㉰ *택시*로 ㉱ *공항 버스*로

(3) *나오미* 씨와 *나오미* 씨 친구는 *경복궁*에서 *명동*까지 어떻게 갔어요?
How did Naomi and her friend get to Myeongdong from Gyeongbok Palace?

▶ 교통이 불편하다 to be inconveniently located | -(으)로 갈아타다 to transfer | 그렇지만 however, but

2 **다음 *이메일*을 잘 읽고 질문에 맞는 답을 쓰세요.** Read the following email and answer the questions.

보낸 날짜	2010년 9월 25일 토요일
보낸 사람	마이클(micheal85@hotmail.com)
받는 사람	미영(miyeoung@yahoo.co.kr)

미영 씨, 내일 저녁 6시에 우리 집에서 제 생일 *파티*가 있어요. 우리 집은 *이태원*이에요. *신촌역*에서 지하철 2호선을 타야 해요. 그리고 *합정역*에서 6호선으로 갈아타고 *이태원역*에서 내리면 돼요. *신촌*에서 *이태원*까지 30분쯤 걸려요. 2번 출구로 나와서 저에게 전화하세요. *이태원역*에서 우리 집까지 5분쯤 걸려요. 그럼 내일 봐요.

(1) *마이클* 씨는 왜 *미영* 씨에게 *이메일*을 보냈어요? Why did Michael send an email to Miyeong?

____

(2) *신촌역*에서 *마이클* 씨 집에 어떻게 가요? How do you get from Shinchon Station to Michael's home?

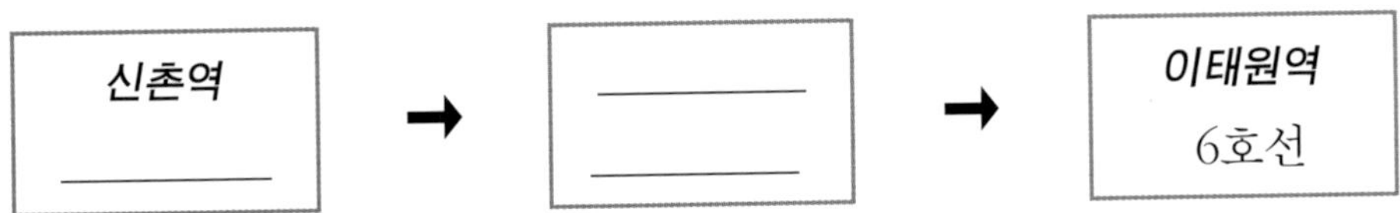

(3) *신촌역*에서 *이태원역*까지 시간이 얼마나 걸려요?
How long does it take to get from Shinchon Station to Itaewon Station?

㉮ 25분쯤 ㉯ 30분쯤 ㉰ 35분쯤 ㉱ 40분쯤

3 **친구와 *경복궁*에 가고 싶어요. *경복궁*에서 친구를 만나려고 해요. 친구가 사는 *신촌*에서 *경복궁*까지 가는 방법을 *이메일*로 알려 주세요.** Suppose you want to go to Gyeongbok Palace with a friend, and you want to meet your friend there. Write an email to your friend explaining how to get to Gyeongbok Palace from Shinchon.

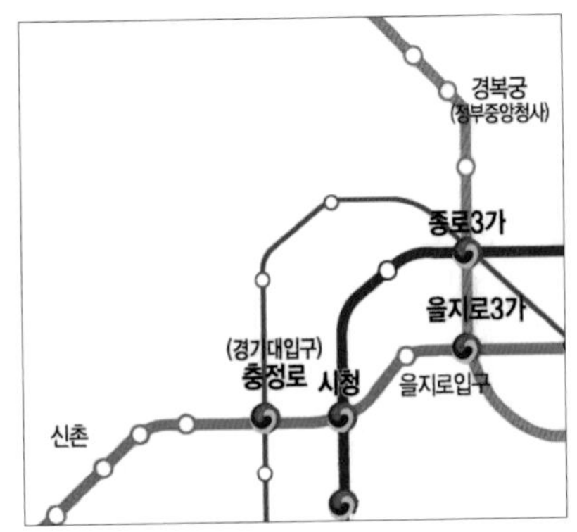

보낸 날짜 : 년 월 일 요일

보낸 사람 :

받는 사람 :

▶ *이메일* email

과제 3 Task 3 듣기 Listening

1 **다음을 잘 듣고 맞는 그림을 고르세요.** Listen carefully and connect each pair of matching items with a line.

(1) •   • ㉮ 

(2) •   • ㉯ 

(3) •   • ㉰ 

2 **다음을 잘 듣고 내용이 맞으면 O, 틀리면 X 표 하세요.**
Listen to the following dialogue and indicate whether the statements below are true with an O or false with an X.

(1) 남자는 *인천공항*에 가고 싶어요. (   )

(2) 공항까지 직접 가는 *버스*가 없어요. (   )

(3) *잠실*에서 공항까지 1시간쯤 걸려요. (   )

3 **다음을 잘 듣고 빈칸에 맞는 답을 쓰세요.** Listen carefully and fill in the blanks with the correct answer.

(1) 오늘 저녁에 *제인* 씨 집에서 __________ 을/를 해요.

(2) *제인* 씨 집은 지하철 ______ 호선을 타고 __________ 역에 내려서 _________ 출구로 나오면 돼요.

Unit 10

좀 큰 걸로 주세요.

Please give me a bigger one.

준비 Warming Up

다음 그림에 알맞은 것을 ㉮~㉶에서 골라 빈칸에 써넣으세요.

Look at the pictures and fill in the blanks with the appropriate letter from among ㉮ to ㉶.

㉮ 옷을 입다 ㉯ 모자를 쓰다 ㉰ 가방을 메다 ㉱ 가방을 들다 ㉲ 구두를 신다

㉳ 목도리를 하다 ㉴ 넥타이를 매다 ㉵ 반지를 끼다 ㉶ 시계를 차다

대화 Dialogue

track 89

점 원 어서 오세요.

나오미 이 *티셔츠* 얼마예요?

점 원 15,000원이요. 한번 입어 보세요.

나오미 네. 옷 갈아입는 곳이 어디예요?

점 원 이쪽으로 오세요.

(잠시 후)

나오미 미안하지만, 좀 큰 걸로 주세요.

점 원 네. 잠깐만요.

Clerk Welcome.

Naomi How much is this t-shirt?

Clerk 15,000 won. Why don't you try it on?

Naomi Okay, where is the dressing room?

Clerk Come this way.

(Later)

Naomi Sorry, but could you give me one that's a bit bigger?

Clerk Okay, one moment please.

새 단어 New Words

점원 clerk

어서 오세요 welcome (to a place of business)

얼마예요? how much is it?

-원 Won

-을/를 갈아입다 to change (clothes)

곳 a place, location

이쪽 this way

미안하다 to be sorry

잠깐만요 just a minute, one moment

이 + N this + N	그 + N that + N	저 + N that + N (over there)

100	1,000	10,000	100,000	1,000,000	10,000,000
백	천	만	십만	백만	천만
hundred	thousand	ten thousand	hundred thousand	million	ten milliion

track 90

발음 Pronunciation

Nasalization 1

When the final consonants "ㄱ, ㄷ, ㅂ" are followed by the initial consonants "ㄴ, ㅁ", the final consonants "ㄱ, ㄷ, ㅂ" are pronounced as /ㅇ, ㄴ, ㅁ/, respectively.

- 십만 [심만]
- 하십니까? [하심니까]
- 백만 [뱅만]
- *한국말* [한궁말]

문형 연습 Pattern Practice

1

가 이 – 얼마예요?
나 –원이요.

다음 보기 와 같이 주어진 단어를 사용하여 문장을 완성하세요.
Use the words in parentheses to complete the following sentences as in the example.

보기
가 이 티셔츠 얼마예요? (이 티셔츠)
나 이만 오천 원이요. (25,000원)

(1) 가 ________________? (이 청바지)
나 ________________. (79,000원)

(2) 가 ________________? (이 운동화)
나 ________________. (62,000원)

(3) 가 ________________? (이 양말)
나 ________________. (3,000원)

(4) 가 ________________? (이 스웨터)
나 ________________. (54,000원)

▶ 청바지 blue jeans | 양말 socks | 스웨터 sweater

2

–어
–아 보세요.
–여

다음 보기 와 같이 주어진 표현을 사용하여 문장을 완성하세요.
Use the words in parentheses to complete the following sentences as in the example.

보기
이 옷을 입어 보세요. (이 옷을 입다)
이 목도리를 해 보세요. (이 목도리를 하다)

(1) ________________. (이 구두를 신다)

(2) ________________. (이 가방을 메다)

(3) ________________. (이 스카프를 하다)

(4) ________________. (이 치마를 입다)

▶ 스카프 scarf

핵심 문형 Key Grammatical Patterns

G37

얼마예요? is an expression used to ask the price of something.

Ex. 이 가방 얼마예요?
(How much is this bag?)

G38

When –(어/아/여) 보다 is added to a verb stem, it expresses trying to do the action represented by the verb.

Ex. 한번 입어 보세요.
(Please try this on.)
한번 써 보세요.
(Please try using this.)

3 $\frac{-ㄴ}{-은}$ + N / -는 + N

다음 보기 와 같이 바꿔 보세요.

Conjugate the following verbs and adjectives as in the example.

보기
작은 가방 (작다, 가방) / 큰 가방 (크다, 가방)
좋아하는 색 (좋아하다, 색)

(1) ______________________. (짧다, 치마)

(2) ______________________. (편하다, 구두)

(3) ______________________. (멋있다, 넥타이)

(4) ______________________. (많이 입다, 티셔츠)

(5) ______________________. (유행하다, 코트)

▶ 짧다 to be short | 편하다 to be convenient | 멋있다 to be stylish | 많이 to be many, a lot | 유행하다 to be popular | 코트 coat

4 $\frac{-로}{-으로}$ 주세요.

다음 보기 와 같이 문장을 완성하세요.

Complete the following sentences as in the example.

보기
이 모자로 주세요. (이 모자)
큰 가방으로 주세요. (큰 가방)

(1) ______________________. (이 반바지)

(2) ______________________. (큰 것)

(3) ______________________. (한 치수 작은 것)

(4) ______________________. (흰색)

(5) ______________________. (그 노란색 티셔츠)

▶ 치수 size

핵심 문형 Key Grammatical Patterns

G39

For verbs, -는 is added to the stem to make the present tense prenominal form. For adjectives, the pre-nominal form is made by adding -ㄴ to the stem when it has no final consonant, and -은 when it does have a final consonant.

Ex. Adjectives:
크다 (big) →
큰 가방 (a big bag)
작다 (small) →
작은 가방 (a small bag)

Verbs:
좋아하다 (to like) →
좋아하는 색
(a favorite color)

G40

-(으)로 is used with verbs like 바꾸다 (to change) to mean the replacement of something with something else. 큰 걸로 is the shortened, conversational form of 큰 것으로.

Ex. 좀 작은 것으로 주세요.
(Please give me a small one.)

회화 연습 1 Conversation Practice 1

track 91

손님 이 ________ 얼마예요?

점원 ________ 원이요.

손님 ________ -은/-는 얼마예요?

점원 ________ 원이에요.

● 다음 가게에서 물건의 가격을 물어보세요. Ask the price of the items at the following stores.

신발가게

₩150,000
₩85,000
₩60,000
₩53,000
₩210,000

옷가게	
청바지 blue jeans	98,000원
원피스 dress	152,000원
스웨터 sweater	64,000원
코트 coat	317,000원
티셔츠 t-shirt	43,600원

신발가게	
구두 shoes	150,000원
샌들 sandals	85,000원
슬리퍼 slippers	60,000원
운동화 athletic shoes	53,000원
부츠 boots	210,000원

회화 연습 2 Conversation Practice 2

track 92

점원 이 [(wear (dress))] 한번 [ ] -어/-아/-여 보세요.

(잠시 후)

점원 어떠세요?

손님 미안하지만 좀 [ ] 걸로 주세요.

점원 네. 잠깐만요.

한 명은 점원, 한 명은 손님이 되어 대화해 보세요.

Practice conversation with one person acting as the store clerk, and the other acting as the customer.

(원피스) 입다
to wear (dress)

(구두) 신다
to wear (shoes)

(목도리) 하다
to wear (muffler)

(모자) 쓰다
to wear (cap)

(가방) 메다, 들다
to carry (bag)

길다 to be long
짧다 to be short

굽이 높다 heel is high
굽이 낮다 heel is low

두껍다 to be thick
얇다 to be thin

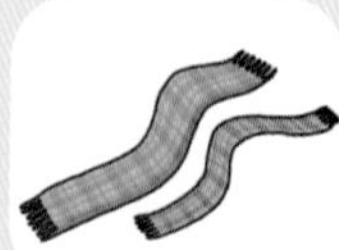

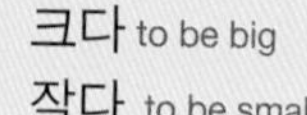

크다 to be big
작다 to be small

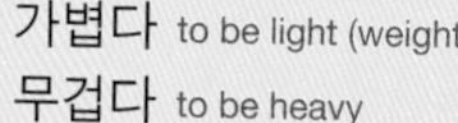

가볍다 to be light (weight)
무겁다 to be heavy

과제 1 Task 1 말하기 Speaking

● 가족에게 줄 선물을 사려고 해요. 무엇을 사면 좋을지, 어디에 가면 좋을지 보기 와 같이 친구와 이야기해 보세요. Suppose you want to buy gifts to give your family. Discuss with your classmate what to buy and where you should buy it as in the example.

track 93

	선물	장소
아버지	넥타이	백화점
어머니		

백화점
department store

동대문시장
Dongdaemun Market

인사동
Insadong

보기

가　저는 한국에서 **아버지** 선물을 사고 싶어요.
　　뭐가 좋아요?

나　**아버지**는 뭘 좋아하세요?

가　***넥타이***를 좋아하세요.

나　그래요? 그럼 **백화점**에 가 보세요.
　　백화점에는 **멋있는** ***넥타이***가 많이 있어요.

1 **다음을 읽고 질문에 맞는 답을 쓰세요.** Read the following passage and answer the questions.

작년 여름에는 긴 *원피스*와 굽이 높은 *샌들*이 유행이었어요. 그렇지만 올여름에는 짧은 *원피스*와 굽이 낮은 *샌들*이 유행이에요. 그리고 밝은 색과 꽃무늬 *원피스*가 유행이에요. 남자들은 올여름에 밝은 색 *티셔츠*와 시원한 반바지, 편한 *슬리퍼*가 어때요?

(1) 올여름에는 어떤 것이 유행이에요? What are the popular items for this summer?

㉮ 

㉯ 

㉰ 

㉱ 

(2) 위 글에서 남자들에게는 올여름에 어떤 것을 추천했어요?
What kind of items are recommended for men this summer?

㉮ 

㉯ 

㉰ 

㉱ 

▶ 작년 last year | 유행 trend | 그렇지만 however | 올여름 this summer | 밝다 to be bright | 꽃무늬 flower pattern | -들 (plural suffix)

2 다음 *나오미* 씨의 글을 읽고 질문에 맞는 답을 쓰세요.

Read the following passage by Naomi and answer the questions that follow.

지난 주말에는 친구하고 같이 *동대문시장*에 갔어요. *동대문시장*에는 옷, 가방, 모자, 신발 등 여러 가지 물건이 많았어요. 먼저 저는 모자를 써 봤어요. 예쁜 모자가 많았어요. 저는 시원한 흰색 모자로 샀어요. *티셔츠*도 입어 보고 반바지도 입어 봤어요. 가방과 신발도 구경했어요. 올여름에 유행하는 색은 파란색이에요. 그래서 저는 파란색 반바지도 샀어요. *동대문시장*은 정말 재미있어요. 다음에도 또 가고 싶어요.

(1) *나오미* 씨가 산 물건을 모두 고르세요. Choose all the things that Naomi bought.

(2) 올여름에는 무슨 색이 유행이에요? What color is popular this summer?

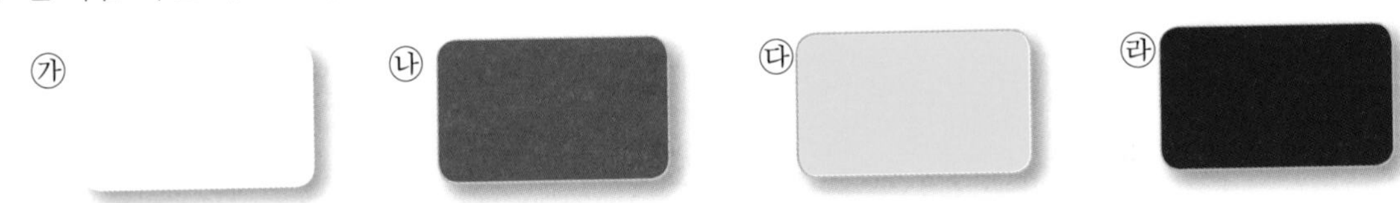

3 다음은 *나오미* 씨 친구가 지난 주말에 쇼핑한 물건들이에요. 이 물건들에 대해서 써 보세요.

The following are things Naomi's friend bought last weekend. Describe these things in the chart below.

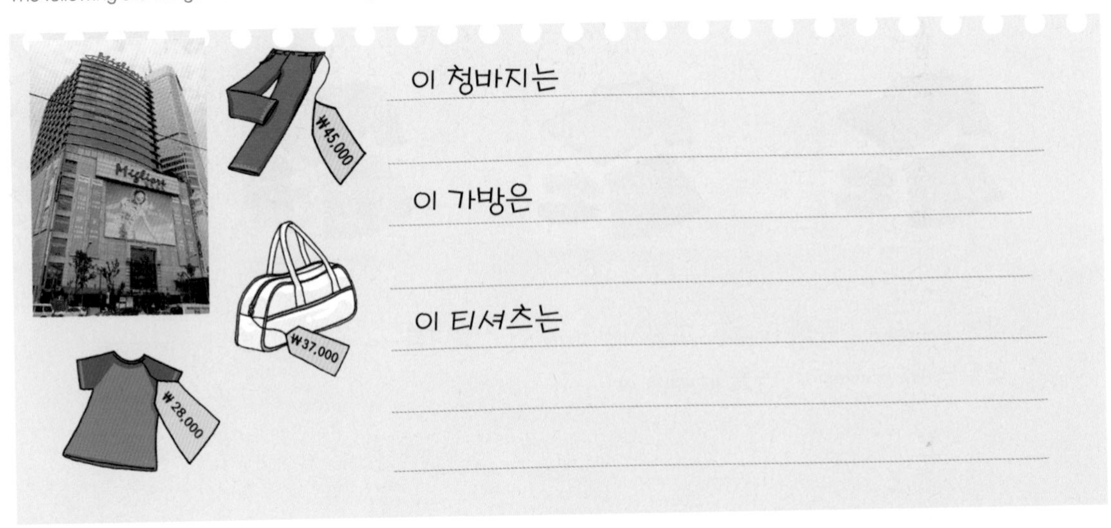

▶ -등 etc. | 여러 가지 various | 물건 things | 많다 many | 정말 really | 다음에 next (time) | 또 again

과제 3 Task 3 듣기 Listening

1 다음을 잘 듣고 물건의 가격표에 가격을 쓰세요.
Listen carefully and write the price of each item in the price tag provided.

2 다음을 잘 듣고 손님이 원하는 물건을 고르세요.
Listen carefully and choose the correct item the customer wants to buy.

(1) 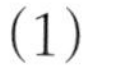

㉮  ㉯ 

(2) 

㉮  ㉯ 

3 다음을 잘 듣고 질문에 답하세요. Listen carefully and answer the questions.

(1) 요즘 어떤 구두가 유행이에요? What kind of shoes are popular lately?

㉮  ㉯ 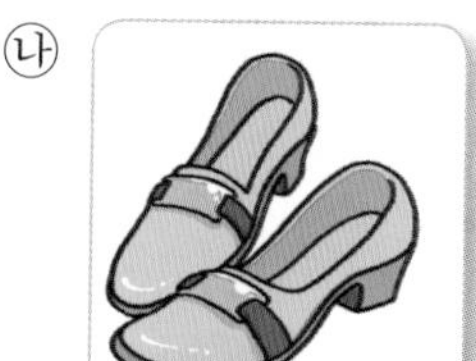 ㉰   ㉱ 

(2) 손님은 어떤 구두를 샀어요? Which shoes did the customer buy?

㉮   ㉯  ㉰  ㉱ 

Unit 11

영희 씨 계세요?

Is Yeonghee there?

준비 Warming Up

다음 그림에 알맞은 것을 ㉮~㉳에서 골라 빈칸에 써넣으세요.

Look at the pictures and fill in the blanks with the appropriate letter from among ㉮ to ㉳.

㉮ 여보세요. ㉯ 히로 씨 좀 바꿔 주세요. ㉰ 잠깐만 기다리세요.

㉱ 지금 안 계신데요. ㉲ 아닌데요. 548-4903인데요. ㉳ 잘못 거셨어요.

대화 Dialogue

track 97

영희 여보세요.

히로 저, 영희 씨 계세요?

영희 네, 전데요. 누구세요?

히로 저 히로인데요.
내일 약속 때문에 전화했어요.

영희 무슨 일이 있어요?

히로 약속 시간을 세 시로 하고 싶어요.

Yeonghee Hello?

Hiro Um, is Yeonghee there?

Yeonghee Yes, this is she. Who is this?

Hiro This is Hiro.
I'm calling you about our meeting tomorrow.

Yeonghee Has something happened?

Hiro I want to change our meeting time to 3 o'clock.

새 단어 New Words

전화하다 to make a phone call

발음 Pronunciation

Tensification

When the final consonants /ㄱ, ㄷ, ㅂ/ are followed by the initial sounds "ㄱ, ㄷ, ㅂ, ㅅ, ㅈ", the initial sounds are pronounced as their tensed counterparts /ㄲ, ㄸ, ㅃ, ㅆ, ㅉ/.

- 약속 [약쏙]
- 접속 [접쏙]
- 합숙 [합쑥]

문형 연습 Pattern Practice

1

가 **여보세요.**
나 **저, – 계세요? (↑) / 있어요? (→)**

다음 보기 와 같이 주어진 단어를 사용하여 대화를 완성하세요.
Use the words in parentheses to complete the following dialogues as in the example.

보기

가 여보세요.
나 저, 김 선생님 계세요? (김 선생님)

가 여보세요.
나 저, 영희 있어요? (영희)

(1) 가 여보세요.
나 사장님 ______________? (사장님)

(2) 가 여보세요.
나 영미 ______________? (영미)

(3) 가 ______________.
나 ______________? (히로 씨)

(4) 가 ______________.
나 ______________? (이 대리님)

▶ 사장님 company president | 대리님 assistant manager

2

가 **– 계세요? (↑) / 있어요? (→)**
나 **네, (바로) 전데요.**

다음 보기 와 같이 주어진 단어를 사용하여 대화를 완성하세요.
Use the words in parentheses to complete the following dialogues as in the example.

보기

가 김 선생님 계세요? (김 선생님)
나 네, (바로) 전데요.

가 영희 있어요? (영희)
나 네, (바로) 전데요.

(1) 가 ______________? (정수 씨) 나 네, (바로) 전데요.

(2) 가 ______________? (사토) 나 네, (바로) 전데요.

(3) 가 ______________? (이 선생님) 나 ______________.

(4) 가 ______________? (수정) 나 ______________.

핵심 문형 Key Grammatical Patterns

G41

When using the phone, 여보세요 is used first by the person receiving the call to acknowledge the caller. The caller can then use –씨, 계세요? to request to speak to a specific person. 저… is used here as an interjection.

G42

(바로) 전데요 is the shortened form of (바로) 저인데요. –ㄴ/인데요 is the combination of connective ending –ㄴ데 with final ending –요. Here, this pattern means (제가 바로) OOO입니다 ('This is he/she.').

3

가 **누구세요?**
나 **저 -인데요.**

다음 보기 와 같이 주어진 단어를 사용하여 대화를 완성하세요.
Use the words in parentheses to complete the following dialogues as in the example.

보기
가 누구세요?
나 저 히로인데요. (히로)

(1) 가 누구세요?
나 저 ____________. (수정)

(2) 가 누구세요?
나 저 ____________. (제임스)

(3) 가 ____________?
나 ____________. (김 대리)

(4) 가 ____________?
나 ____________. (진호)

(5) 가 ____________?
나 ____________. (사토)

4

- 때문에

다음 보기 와 같이 주어진 단어나 표현을 사용하여 문장을 완성하세요.
Use the words in parentheses to complete the following sentences as in the example.

보기 내일 약속 때문에 전화했어요. (내일 약속, 전화했다)

(1) ____________ 한국에 왔어요. (일, 한국에 왔다)
(2) ____________ 잠자기 힘들어요. (모기, 잠자기 힘들다)
(3) ____________. (여자 친구, 한국어를 배우다)
(4) ____________. (친구, 화가 났다)

▶ 모기 mosquito | 화가 나다 to get angry

핵심 문형 Key Grammatical Patterns

G43

As explained in G42, -ㄴ/인데요 is the combination of connective ending -ㄴ/인데 with final ending -요. -인데요 is used often in conversation. 저 is used either to mean 저는 ('I'), or to indicate hesitation or a pause, that is, as an interjection.

Ex. 가 : 누구세요?
(Who is speaking?)
나 : 저 제임스인데요.
(This is James speaking.)

G44

When used directly after a noun, 때문에 expresses the reason for the following phrase or clause.

Ex. 비 때문에 여행을 못 갔어요.
(Because of the rain I couldn't go on the trip.)

회화 연습 1 Conversation Practice 1

track 99

가 여보세요.

나 ________(이)세요?

저 ________인데요.

가 네, ________씨, 무슨 일이에요?

나 ________ 때문에 전화했어요.

________고 싶어요.

위 대화문 빈칸에 다음의 단어나 표현을 사용하여 두 사람씩 짝을 지어 이야기해 보세요.

With your classmate complete the above dialogue using the words or expressions below.

명사 Nouns

내일 약속	주말 약속	내일 수업	이번 시험	제 생일 파티
tomorrow's meeting/appointment	weekend meeting/appointment	tomorrow's class	the (current/coming) exam	my birthday party

동사 Verbs

- 약속 시간을 바꾸다 — to change the meeting time
- 약속 장소를 바꾸다 — to change the meeting place
- 부탁을 좀 하다 — to ask a favor
- 시험 범위를 알다 — to know the range of test material
- -을/를 초대하다 — to invite (someone)

회화 연습 2 Conversation Practice 2

track 100

가 여보세요.

나 저 ________씨 계세요?/있어요?

가

(나)

(가)

(나)

위 대화문 빈칸에 다음의 표현을 사용하여 두 사람씩 짝을 지어 이야기해 보세요.
With a classmate complete the above dialog using the expressions below.

전화 표현 1 Phrases used in phone conversations 1

몇 번에 거셨어요? What number did you dial?

잘못 거셨어요. You've got the wrong number.

지금 안 계신데요. / 지금 없는데요.
He/She is not in right now.

잠깐만 기다리세요. Please wait a moment.

전화 표현 2 Phrases used in phone conversations 2

(전화번호) 아니에요? Isn't this (phone number)?

거기 2123-1524 아니에요? Isn't this 2123-1524?

거기 750-2587 아니에요? Isn't this 750-2587?

거기 365-5490 아니에요? Isn't this 365-5490?

네, 알겠습니다. 죄송합니다. Okay, I'm sorry.

● 보기 와 같이 친구들하고 휴대전화로 전화해 보세요.
As in the example, practice making phone calls with your classmates using mobile phones.

롯데월드에 가다
to go to Lotte World

생일 파티에 초대하다
to invite to a birthday party

약속 시간
appointment time
2시 → 3시

오늘 저녁에 같이 식사를 하다
to have a meal tonight

슈퍼주니어 콘서트를 보러 가다
to go see Super Junior's concert

보기

가 여보세요.

나 ________ 씨? 저 ________ 인데요.

가 네, 안녕하세요?

나 ________ 씨, 내일 시간 있어요?
같이 롯데월드에 가고 싶어요.

가 네, 좋아요.

▶ 슈퍼주니어 콘서트 Super Junior's concert | 보러 가다 to go see

과제 2 Task 2 읽기와 쓰기 Reading & Writing

1 **다음 *마이클* 씨와 *미영* 씨의 전화 대화를 잘 읽고 질문에 맞는 답을 쓰세요.**
Read the following phone conversation between Michael and Miyeong and answer the questions.

미영 여보세요.
마이클 *미영* 씨세요? 저 *마이클*이에요.
미영 안녕하세요, *마이클* 씨. 무슨 일이에요?
마이클 내일 제 생일 *파티* 때문에요.
미영 씨를 초대하고 싶어요.
미영 그래요? *파티*를 어디에서 해요?
마이클 수업 후 5시에 우리 집에서요.
미영 네. 그럼, 내일 봐요.

(1) 누가 누구에게 전화했어요? Who called whom?

____

(2) *마이클* 씨는 왜 전화했어요? Why did Michael call Miyeong?

㉮ 내일 약속 때문에 ㉯ 숙제 때문에 ㉰ 생일 *파티* 때문에 ㉱ 시험 때문에

(3) 다음 중 위 글의 내용과 <u>다른</u> 것을 고르세요. Choose the item that <u>does not match</u> the content of the above passage.

㉮ 내일 5시에 *파티*를 해요.
㉯ *마이클* 씨 집에서 *파티*가 있어요.
㉰ 내일 *마이클* 씨 생일 *파티*가 있어요.
㉱ *미영* 씨는 *마이클* 씨를 *파티*에 초대하고 싶어요.

▶ -에게 to (a person)

2 **다음 수정 씨의 이야기를 잘 읽고 질문에 맞는 답을 쓰세요.**
Read the following passage by Sujeong and answer the questions.

어제 *제임스* 씨에게 숙제 때문에 전화를 했어요. *제임스* 씨 누나가 전화를 받았어요. *제임스* 씨는 집에 없었어요. 그래서 1시간 후에 다시 전화를 했어요. 이번에는 *제임스* 씨가 전화를 받았어요. *제임스* 씨에게 숙제를 물어봤어요. 숙제는 없었어요. 기분이 아주 좋았어요.

(1) 수정 씨와 제임스 씨 누나의 전화 대화를 고르세요.
Choose the correct phone conversation between Sujeong and James' sister.

㉮ 누나 여보세요.
수정 저, 제임스 씨 있어요?
누나 잠깐만 기다리세요.

㉯ 누나 여보세요.
수정 저, 제임스 씨 있어요?
누나 전화 잘못 거셨어요.

㉰ 누나 여보세요.
수정 저, 제임스 씨 있어요?
누나 지금 집에 없는데요.
수정 네, 알겠습니다.

㉱ 누나 여보세요.
수정 저, 제임스 씨 있어요?
누나 네, 전데요. 누구세요?
수정 저 수정인데요.

(2) 수정 씨는 왜 전화했어요? Why did Sujeong make the phone call?

㉮ 내일 약속 때문에 ㉯ 숙제 때문에 ㉰ 생일 파티 때문에 ㉱ 시험 때문에

(3) 다음 중 위 글의 내용과 같은 것을 고르세요. Choose the item that matches the content of the above passage.

㉮ 수정 씨는 기분이 나빴어요.
㉯ 오늘 숙제는 아주 많았어요.
㉰ 수정 씨는 오늘 숙제를 몰랐어요.
㉱ 수정 씨는 제임스 씨에게 한 번 전화했어요.

3 **위 글의 내용을 보고 수정 씨와 제임스 씨의 전화 대화를 써 보세요.**
Referring to the passage above, write out the phone conversation between Sujeong and James.

제임스 ______
수 정 ______
제임스 ______
수 정 ______
제임스 ______
수 정 ______
제임스 ______
수 정 ______

▶ 전화를 받다 to receive a phone call | 시간 time | 다시 again | 이번에는 this time | 물어보다 to ask | 기분 (a person's) feelings | 나쁘다 to be bad

과제 3 Task 3 듣기 Listening

1 **다음을 잘 듣고 뒤에 이어질 말을 고르세요.** Listen carefully and choose what should follow. track 102

(1) ㉮ 거기 546-2354 아니에요? ㉯ 네, 전데요.

(2) ㉮ 잠깐만 기다리세요. ㉯ 안녕히 계세요.

(3) ㉮ 잘못 거셨어요. ㉯ 잠깐만 기다리세요.

2 **다음을 잘 듣고 내용이 맞으면 O, 틀리면 X 표 하세요.** track 103

Listen to the following dialogue and indicate whether the statements below are true with an O or false with an X.

(1) 제임스 씨는 주말 약속 때문에 전화했어요. ( )

(2) 제임스 씨는 약속 시간을 바꾸고 싶어요. ( )

3 **다음을 잘 듣고 빈칸에 맞는 답을 쓰세요.** Listen carefully and fill in the blanks with the correct answer. track 104

(1) 영수 씨는 미란 씨하고 같이 ________고 싶어요.

(2) 영수 씨와 미란 씨는 내일 ______시에 ________극장 ________에서 만나요.

Unit 12

제주도에 가 봤어요?

Have you been to Jeju Island?

준비 Warming Up

다음은 어디일까요? 다음 그림에 알맞은 것을 ㉮~㉶에서 골라 빈칸에 써넣으세요.

Where were these pictures taken? Look at the pictures and fill in the blanks with the appropriate letter from among ㉮ to ㉶.

㉮ 제주도　　㉯ 설악산　　㉰ 경주　　㉱ 안동 하회마을　　㉲ 부산 해운대

㉳ 남이섬　　㉴ 외도　　㉵ 보성 녹차밭　　㉶ 동해안 해수욕장

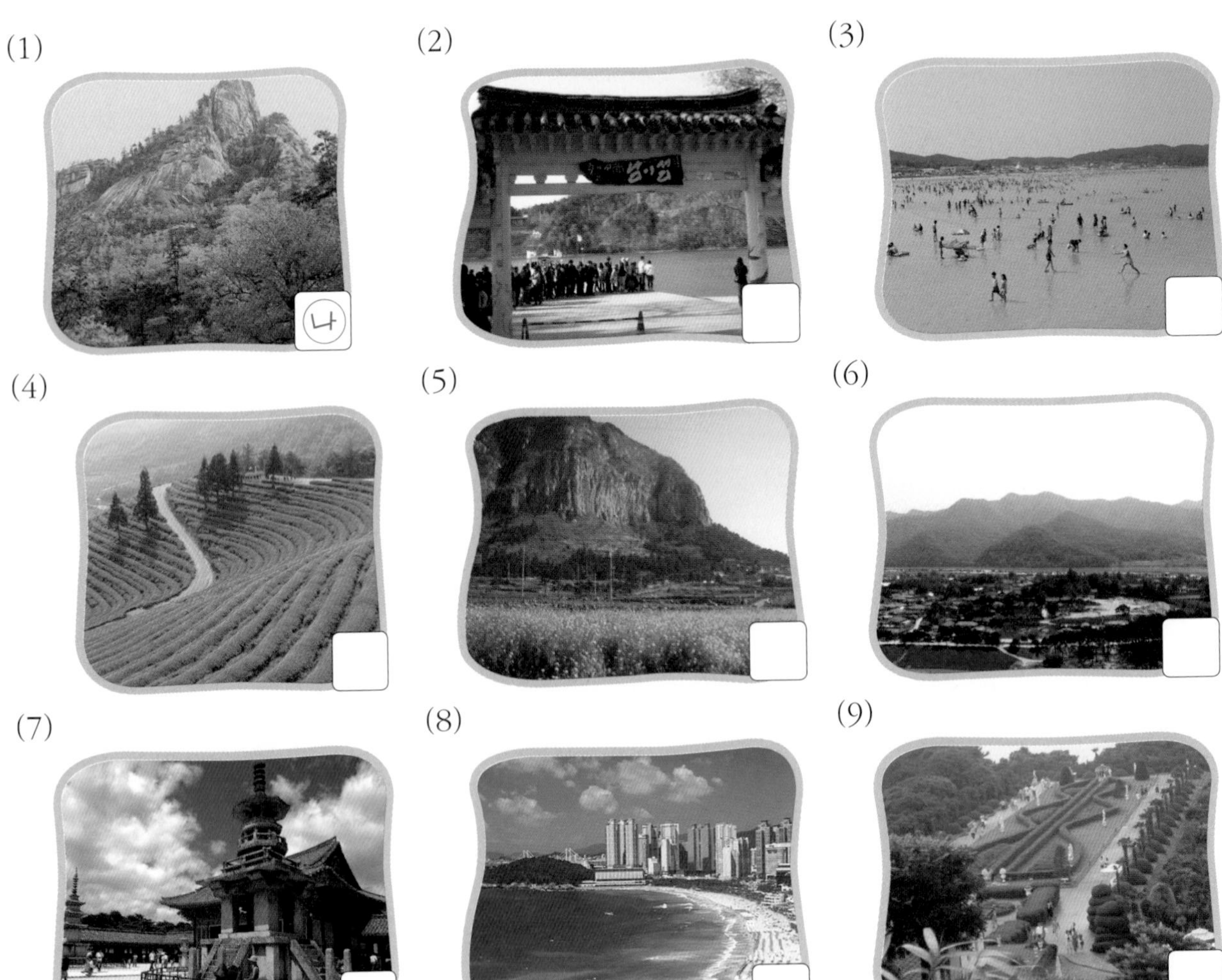

대화 Dialogue

수정 나오키 씨, 제주도에 가 봤어요?

나오키 아니요. 아직 못 가 봤어요.

수정 이번 방학에 친구들과 제주도에 가려고 해요.
같이 갈래요?

나오키 같이 가도 돼요?

수정 그럼요. 제 친구들도 좋아할 거예요.

Sujeong Naoki, have you been to Jeju Island?

Naoki No, I haven't been able to go yet.

Sujeong For the coming vacaction, I plan to go to Jeju Island with some friends. Would you like to go with us?

Naoki It's okay go along with you?

Sujeong Of course. I'm sure my friends will like it too if you come.

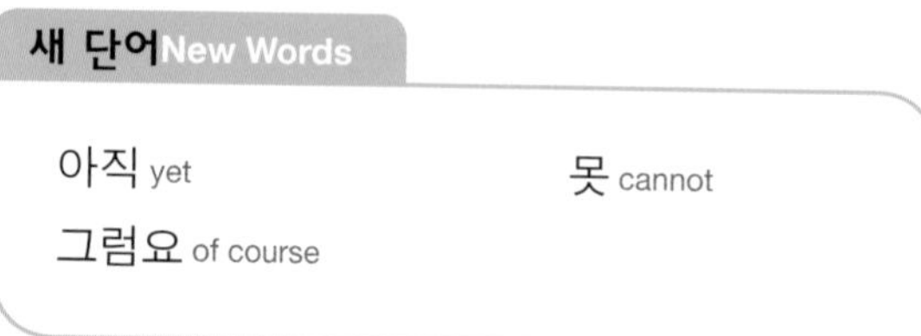

새 단어 New Words

아직 yet
못 cannot
그럼요 of course

track
106

발음 Pronunciation

Tensification

When the final consonants /ㄱ, ㄷ, ㅂ/ are followed by the initial sounds "ㄱ, ㄷ, ㅂ, ㅅ, ㅈ", the initial sounds are pronounced as their tensed counterparts /ㄲ, ㄸ, ㅆ, ㅉ/. In the following example, because "**못**" is pronounced /몯/and the following initial sound is "ㄱ", the phrase is pronounced /몯까/.

- 못 가 [몯 까]
- 맞고 [맏꼬]
- 잊고 [읻꼬]

In the next examples, the final consonant "ㄹ" is followed by the initial consonant "ㄱ", and thus "ㄱ" is pronounced as the tensed consonant /ㄲ/.

- 좋아할 거예요 [조아할 꺼예요]
- 갈 거예요 [갈 꺼예요]

문형 연습 Pattern Practice

1

가 -어/-아/-여 봤어요?

나 -어/-아/-여 봤어요. / 아니요. 못 -어/-아/-여 봤어요.

다음 보기 와 같이 주어진 표현을 사용하여 대화를 완성하세요.

Use the words in parentheses to complete the following dialogues as in the example.

보기
가 설악산에 가 봤어요? (설악산에 가다)
나 네. 가 봤어요. / 아니요. 못 가 봤어요.

(1) 가 ____________________? (KTX를 타다)
나 네. ______________. / 아니요. ______________.

(2) 가 ____________________? (불고기를 먹다)
나 네. ______________. / 아니요. ______________.

(3) 가 ____________________? (한복을 입다)
나 네. ______________. / 아니요. ______________.

(4) 가 ____________________? (한국에서 여행을 하다)
나 네. ______________. / 아니요. ______________.

▶ KTX Korea Train Express

2

-려고/-으려고 해요.

다음 보기 와 같이 주어진 표현을 사용하여 대화를 완성하세요.

Use the words in parentheses to complete the following dialogues as in the example.

보기
주말에 집에서 쉬려고 해요. (주말에 집에서 쉬다)
방학에 책을 좀 읽으려고 해요. (방학에 책을 좀 읽다)

(1) 부모님 선물을 ______________. (부모님 선물을 사다)

(2) 여름에 ______________. (여름에 여행 가다)

(3) ______________. (저녁에 삼계탕을 먹다)

(4) ______________. (주말에 집에 있다)

핵심 문형 Key Grammatical Patterns

G45

-어/아/여 봤어요 is the past tense form of -어 보다 (☞ G38), and as such it expresses a past experience.
When expressing the lack of an experience using this pattern, 못 is added to represent negation or impossibility.

Ex. 가 : 제주도에 가 봤어요?
(Have you been to Jeju Island?)
나 : 아니요, 못 가 봤어요.
(No, I could not go. (= I have not been) there.)

G46

-(으)려고 attaches to verb stems to indicate the intention or plan of the speaker. If the verb stem has a final consonant, -으려고 is used; if not, -려고 is used.

Ex. 집에서 쉬려고 해요.
(I intend to rest at home.)
책을 읽으려고 해요.
(I plan to read a book.)

3

가 -어/-아/-여 도 돼요?

나 그럼요. / 네. -세요/-으세요.

다음 보기 와 같이 주어진 표현을 사용하여 대화를 완성하세요.

Use the words in parentheses to complete the following dialogues as in the example

보기
가 들어가도 돼요? (들어가다)
나 그럼요. 들어가도 돼요. / 네, 들어가세요.

(1) 가 여기에서 ________? (여기에서 사진을 찍다)
나 그럼요. ________. / 네. ________.

(2) 가 이 운동화를 ________? (이 운동화를 신어 보다)
나 그럼요. ________. / 네. ________.

(3) 가 ________? (이 치마를 입어 보다)
나 그럼요. ________. / 네. ________.

▶ 들어가다 to enter, to go into

4

-ㄹ/-을 거예요.

다음 보기 와 같이 주어진 표현을 사용하여 문장을 완성하세요.

Use the words in parentheses to complete the following sentences as in the example.

보기
내일 비가 올 거예요. (내일 비가 오다)
이 티셔츠는 좀 작을 거예요. (이 티셔츠는 좀 작다)

(1) 그 치마가 ________. (그 치마가 어울리다)

(2) 다음 달에 일본에서 ________. (다음 달에 일본에서 친구가 오다)

(3) ________. (그 영화가 재미있다)

(4) ________. (이 선물이 좋다)

▶ 비가 오다 to rain | 어울리다 to match | 다음 달 next month

핵심 문형 Key Grammatical Patterns

G47

되다 is added to the connective ending -(어/아/여)도 to ask permission of the listener. Accordingly, the response can be in the imperative form -(으)세요 or simply 그럼요 ('Of course').

Ex. 가 : 들어가도 돼요?
(May I come in?)
나 : 그럼요. 들어오세요.
(Of course. Please do (come in).)

G48

-ㄹ/을 거예요 expresses the supposition of the speaker when the subject is in the third person.

Ex. 내일 비가 올 거예요.
(I think it will rain tomorrow.)
김 선생님은 다음 주에 돌아오실 거예요.
(I guess Mr. Kim will come back next week.)

회화 연습 1 Conversation Practice 1

track 107

가 여기서 ____________ -어 / -아 / -여 도 돼요?

나 네. ____________ -어 / -아 / -여 도 돼요.

/ 아니요. 미안하지만 안 돼요.

● **반 친구들과 아래 표지판을 보고 대화해 보세요.**

Look at the following signs and practice conversation with your classmates.

회화 연습 2 Conversation Practice 2

track 108

가 [ ] -어/-아/-여 봤어요?

나 아니요. 아직 못 [ ] -어/-아/-여 봤어요.

가 저는 [ ] 에

[ ] -려고/-으려고 해요.

같이 [ ] -ㄹ/-을 래요?

나 네. 좋아요.

● **반 친구에게 다음의 경험에 대해 물어보세요.** Ask your classmates about the following experiences.

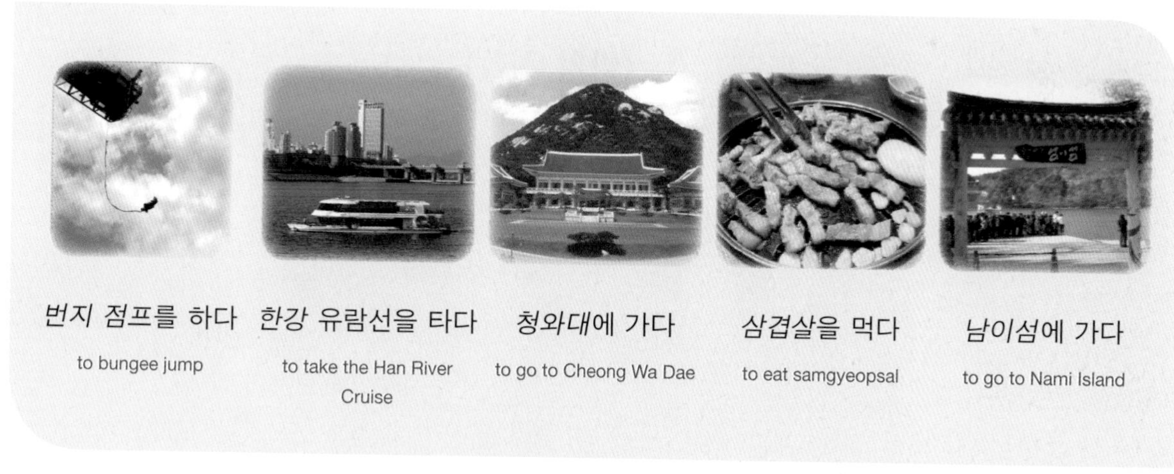

*번지 점프*를 하다	*한강 유람선*을 타다	*청와대*에 가다	*삼겹살*을 먹다	*남이섬*에 가다
to bungee jump	to take the Han River Cruise	to go to Cheong Wa Dae	to eat samgyeopsal	to go to Nami Island

이번 방학	주말	다음 주말	오늘 저녁	이번 여름
the (current/coming) vacation	weekend	next weekend	this evening	the (current/coming) summer

● 반 친구들에게 여러분의 방학 계획에 대해 이야기해 보세요.
Describe your vacation plans to your classmates.

안녕하세요. *나오키*예요.
저는 이번 방학에 친구하고 같이 여행을 하려고 해요. 여러분은 *제주도*에 가 봤어요? 저는 여행책에서 *제주도* 사진을 많이 봤어요. 그렇지만 아직 못 가 봤어요. 그래서 이번 방학에 *제주도*에 가려고 해요. *제주도*는 *한라산*이 아주 유명해요. 이번에 꼭 *한라산*에 가고 싶어요. 식물원도 구경하고 바다에서 수영도 하려고 해요. 재미있을 거예요. 그리고 맛있는 음식도 많이 먹어 보고 싶어요.

〈방학 계획〉

▶ *한라산* Halla Mountain | 유명하다 to be famous | 식물원 botanical garden | 바다 the sea

과제 2 Task 2 읽기와 쓰기 Reading & Writing

1 **다음 제인 씨의 글을 읽고 질문에 맞는 답을 쓰세요.**
Read the following passage by Jane and then answer the questions.

어제는 우리 반 친구들하고 선생님과 함께 김치 박물관에 가 봤어요. 김치 박물관은 코엑스에 있어요. 지하철을 타고 삼성역에서 내려서 걸어가면 돼요. 거기에서 김치 역사도 배우고 김치 만들기 비디오도 봤어요. 그리고 김치도 먹어 봤어요. 박물관 안에서는 사진을 찍어도 돼요. 저는 친구들하고 선생님과 함께 사진을 많이 찍었어요. 일본에 있는 친구에게 사진을 보내려고 해요.

(1) 위 글의 내용과 다른 것을 고르세요. Choose the item that does not match the content of the above passage.

㉮ 김치 박물관은 코엑스에 있어요.

㉯ 제인 씨는 부모님에게 사진을 보내려고 해요.

㉰ 김치 박물관은 삼성역에서 가까워요.

㉱ 김치 박물관에서는 사진을 찍어도 돼요.

(2) 김치 박물관에서 제인 씨가 하지 않은 것은 뭐예요? What did Jane not do at the Kimchi Museum?

㉮ 김치 역사를 배웠어요.

㉯ 김치 만들기 비디오를 봤어요.

㉰ 김치를 먹어 봤어요.

㉱ 김치를 만들어 봤어요.

(3) 김치 박물관에 어떻게 가요? How do you get to the Kimchi Museum?

____

▶ 걸어가다 to walk (to a place) | 함께 together | 역사 history | 비디오 video

2 **다음은 *히로* 씨의 글을 읽고, 질문에 답하세요.** Read the following passage by Hiro and then answer the questions.

지난 주말에는 일본에서 누나가 왔어요. 그래서 누나와 같이 인사동에 가 봤어요. 인사동에는 한국 전통 물건 가게들이 많았어요. 저는 거기에서 목걸이와 부채를 샀어요. 부모님께 선물하려고 해요. 그리고 인사동에는 전통 찻집, 음식점들도 많았어요. 우리는 전통차를 마시고 떡과 엿도 먹어 봤어요. 맛있었어요. 인사동을 구경하고 종로에 가서 영화도 봤어요. 서울에는 재미있는 곳이 많아요. 이번 주말에는 *N서울타워*와 *63빌딩*에도 가 보려고 해요.

(1) *히로* 씨는 지난 주말에 어디에 갔어요? 모두 고르세요. Where did Hiro go last weekend? Choose all that are true.

㉮ 
㉯ 
㉰ 
㉱ 

(2) 위 글의 내용과 맞는 것을 고르세요. Choose the statement which matches the content of the above passage.

㉮ *히로* 씨는 부모님께 목걸이와 부채를 선물했어요.
㉯ *히로* 씨는 한국 전통차를 샀어요.
㉰ *히로* 씨는 인사동에서 영화를 봤어요.
㉱ *히로* 씨는 *N서울타워*와 *63빌딩*에 가려고 해요.

3 **여러분은 *한국*에서 어디에 가 봤어요? 거기에서 무엇을 했어요? *한국*에서 가장 재미있었던 경험을 친구에게 편지로 써 보세요.** Where have you traveled in Korea? What did you do there? Write a letter to your friend in the space below about your most interesting experience in Korea.

씨

▶ 부채 folding fan | -께 to (someone) [polite] | 찻집 tea house | 음식점 restaurant | 떡 ddeok (rice cake) | 엿 yeot (rice taffy)

과제 3 Task 3 듣기 Listening

1 **다음 질문에 대한 맞는 대답을 고르세요.** Listen carefully to each question and choose the correct answer.

(1) ㉮ 네. 가도 돼요.　　㉯ 네. 가려고 해요.
　　㉰ 한번 가 보세요.　　㉱ 아니요. 아직 못 가 봤어요.

(2) ㉮ 네. 가 봤어요.　　㉯ 네. 가도 돼요.
　　㉰ 아니요. 가려고 해요.　　㉱ 아니요. 가면 돼요.

2 **다음을 잘 듣고 알맞게 연결하세요.**

Listen carefully and connect each pair of matching items with a line.

track 111

(1) 

● ● ①  ● ●  

(2) 나오키 ● ● ②  ● ●  

(3) 제임스 ● ● ③ 

● ● ㉰ 

3 **다음을 잘 듣고 내용이 맞으면 O, 틀리면 X 표 하세요.**

Listen to the following dialogue and indicate whether the statements below are true with an O or false with an X.

(1) 극장 안에서 사진을 찍어도 돼요. (　　)

(2) 나오키 씨는 한국 전통차를 마셨어요. (　　)

Appendix

- **Answers**
- **Listening Transcripts**
- **Grammatical Patterns Translation**
- **Index**

Answers

The Korean Alphabet
Practice Writing Korean Letters

(1) ㉮ (2) ㉮ (3) ㉯ (4) ㉮ (5) ㉮

(6) ㉯ (7) ㉯ (8) ㉯ (9) ㉮ (10) ㉮

Unit 01

안녕하세요? 만나서 반가워요.

Hello! Pleased to meet you.

준비 Warming Up

(2) ㉮
(3) ㉱
(4) ㉰
(5) ㉲
(6) ㉳

문형 연습 Pattern Practice

1. (1) 예요
(2) 이에요
(3) 이에요
(4) 예요
(5) 예요

2. (1) 이에요
(2) 예요
(3) 이에요
(4) 이에요
(5) 예요

3. (1) *일본* 사람이에요
(2) *미국* 사람이에요
(3) *중국* 사람이 아니에요
(4) *일본* / *일본* 사람이에요
(5) *한국* / *한국* 사람이 아니에요 / *일본*

4. (1) 저는 학생이에요
(2) 저는 가수예요
(3) 저는 회사원이에요
(4) 저는 의사예요
(5) 저는 은행원이에요

과제 2 Task 2

- 읽기와 쓰기 Reading & Writing

1. (1) *와타나베 요시야스*예요.
(2) *일본* 사람이에요.
(3) 회사원이에요.

과제 3 Task 3

- 듣기 Listening

1. ㉯
2. ㉯
3. ㉮

Unit 02

동생이 둘 있어요.

I have two younger siblings.

준비 Warming Up

(1) ㉮
(2) ㉳, ㉷, ㉴
(3) ㉶, ㉱
(4) ㉲, ㉯, ㉸
(5) ㉵, ㉰

문형 연습 Pattern Practice

1. (1) 이 / 있어요
(2) 이 / 없어요
(3) 가 / 있어요
(4) 이 / 없어요
(5) 가 / 있어요

2. (1) 누나하고 형
(2) 여동생하고 누나
(3) 오빠하고 남동생
(4) 부모님하고 여동생
(5) 언니하고 남동생

3. (1) 은 / 에 있어요
(2) 는 / 에 있어요
(3) 은 / 에 계세요
(4) 는 / 에 있어요
(5) 은 / 에 있어요

4. (1) 동생은 없어요
(2) 누나는 없어요
(3) 오빠는 없어요
(4) 남동생은 없어요

과제 2 Task 2

- 읽기와 쓰기 Reading & Writing

1. (1) ㉱
(2) *프랑스 파리*에 있어요.
(3) *베이징*에 있어요.

과제 3 Task 3

- 듣기 Listening

1. (1) ㉰
   (2) ㉯
   (3) ㉮
2. (1) O
   (2) X
3. (1) 1
   (2) 1
   (3) *일본*
   (4) 6

Unit 03

기숙사가 어디에 있어요?

Where is the dormitory?

준비 Warming Up

(2) ㉮
(3) ㉹
(4) ㉵
(5) ㉶
(6) ㉯
(7) ㉻
(8) ㉰
(9) ㉱
(10) ㉺
(11) ㉲
(12) ㉷

문형 연습 Pattern Practice

1. (1) *이태원*이에요
   (2) *대학로*예요
   (3) 집이 어디예요 / *잠실*이에요
   (4) 집이 어디예요 / *신촌*이에요
2. (1) *진수* 씨
   (2) *왕핑* 씨는요
   (3) 선생님은요
   (4) *영미* 씨는요
3. (1) 저는 하숙집에 살아요
   (2) *마이클* 씨는 친척집에 살아요
   (3) 저는 *아파트*에 살아요
   (4) *제임스* 씨는 친구 집에 살아요
4. (1) 식당이 어디에 있어요
   (2) 어학당이 어디에 있어요
   (3) 학교가 어디에 있어요
   (4) 화장실이 어디에 있어요

과제 2 Task 2

- 읽기와 쓰기 Reading & Writing

1. (1) 기숙사에 살아요.
   (2) 식당하고 편의점이 있어요.
   (3) ㉯

과제 3 Task 3

- 듣기 Listening

1. ㉯
2. ㉮
3. ㉰
4. (1) X
   (2) O

Unit 04.

생일이 언제예요?

When is your birthday?

준비 Warming Up

(2) ㉲
(3) ㉰
(4) ㉮
(5) ㉶
(6) ㉯
(7) ㉱
(8) ㉹
(9) ㉵

문형 연습 Pattern Practice

1. (1) 이 / 시월 이십 이일이에요
   (2) 이 언제예요 / 오월 오일이에요
   (3) 휴일이 언제예요 / 팔월 십오일이에요
   (4) 회의가 언제예요 / 유월 이십삼일이에요
2. (1) 에 시간 있어요
   (2) 이번 주 토요일에 시간 있어요
   (3) 유월 칠일에 시간 있어요
   (4) 내일 시간 있어요
3. (1) 이 무슨 요일이에요 / 요일이에요
   (2) 모레가 무슨 요일이에요 / 수요일이에요
   (3) 시험이 무슨 요일이에요 / 목요일이에요
   (4) *크리스마스*가 무슨 요일이에요 / 금요일이에요
4. (1) 영화를 볼까요
   (2) 밥을 먹을까요 / 네. 좋아요
   (3) *커피*를 마실까요 / 네. 좋아요
   (4) *게임*을 할까요 / 네. 좋아요

과제 2 Task 2

- 읽기와 쓰기 Reading & Writing

1. (1) 6, 4
   (2) 목요일이에요.
   (3) 6월 8일 금요일이에요.

과제 3 Task 3

- 듣기 Listening

1. (1) ㉰
   (2) ㉯
   (3) ㉮
   (4) ㉱
2. (1) ㉯
   (2) ㉱
3. (1) X
   (2) O

Unit 05

취미가 뭐예요?

What is your hobby?

준비 Warming Up

(2) ㉲
(3) ㉳
(4) ㉴
(5) ㉮
(6) ㉰
(7) ㉶
(8) ㉯
(9) ㉵

문형 연습 Pattern Practice

1. (1) 를 좋아해요
   (2) 음악을 좋아해요
   (3) 취미가 뭐예요 / 운동을 좋아해요
   (4) 취미가 뭐예요 / *게임*을 좋아해요
2. (1) 음식을
   (2) 음악을
   (3) 무슨 영화를 좋아해요
   (4) 무슨 색을 좋아해요
   (5) 무슨 노래를 좋아해요
3. (1) 음악 듣기예요
   (2) 영화 보기예요
   (3) 제 취미는 여행하기예요
   (4) 제 취미는 우표 모으기예요
   (5) 제 취미는 *피아노* 치기예요
4. (1) 날마다 책을 읽어요
   (2) 방학마다 여행을 해요
   (3) 일요일마다 요리를 해요
   (4) 수요일마다 *태권도*를 배워요
   (5) 주말마다 친구를 만나요

과제 2 Task 2

- 읽기와 쓰기 Reading & Writing

1. (1) 운동하기예요.
   (2) 주말마다 등산을 해요.
   (3) 요즘 *태권도*를 배워요.

과제 3 Task 3

- 듣기 Listening

1. (1) ㉯
   (2) ㉰
   (3) ㉮
2. (1) ㉰
   (2) ㉯
3. (1) O
   (2) O

Unit 06

순두부하고 *된장찌개* 주세요.

We'll have sundubu and doenjang jjigae, please.

준비 Warming Up

(2) ㉶
(3) ㉯
(4) ㉱
(5) ㉴
(6) ㉰
(7) ㉲
(8) ㉳
(9) ㉵

문형 연습 Pattern Practice

1. (1) *김치* (좀)
   (2) *비빔밥*하고 *냉면*
   (3) 뭘 드릴까요 / 물 (좀)
   (4) 뭘 드릴까요 / *순두부*하고 *비빔냉면* 주세요
   (5) 뭘 드릴까요 / *김치찌개*하고 *순두부* 둘 주세요
2. (1) *불고기*를
   (2) *물냉면*을
   (3) 뭘 먹고 싶어요 / *순두부*를 먹고 싶어요
   (4) 뭘 먹고 싶어요 / *된장찌개*를 먹고 싶어요
   (5) 뭘 먹고 싶어요 / *삼계탕*을 먹고 싶어요

3. (1) 누구를 만나 / 가수 '*비*'를 만나
(2) 뭘 마시 / 물을 마시
(3) 뭘 하고 싶어요 / *게임*을 하고 싶어요
(4) 언제 가고 싶어요 / 주말에 가고 싶어요

4. (1) 추운
(2) 뜨거운
(3) 아름다운
(4) 더운

과제 2 Task 2

- 읽기와 쓰기 Reading & Writing

1. (1) ㉯
(2) 학교 앞 한식당에서 자주 밥을 먹어요.
(3) 식당 옆 *카페*에서 시원한 *아이스 커피*를 마셔요.

과제 3 Task 3

- 듣기 Listening

1. (1) ㉰
(2) ㉮
(3) ㉯

2. (1) ㉰
(2) ㉱

3. (1) O
(2) X

Unit 07

집에서 쉬었어요.

I relaxed at home.

준비 Warming Up

(2) ㉮
(3) ㉳
(4) ㉯
(5) ㉲
(6) ㉵
(7) ㉱
(8) ㉴
(9) ㉰

문형 연습 Pattern Practice

1. (1) 목걸이와 귀걸이
(2) 전자사전과 *MP3*
(3) 지갑과 *넥타이*
(4) 모자와 가방
(5) 화장품과 반지

2. (1) *부산*에 갔어요
(2) 공항에 갔어요
(3) 어디에 갔어요 / *제주도*에 갔어요
(4) 어디에 갔어요 / 동물원에 갔어요

3. (1) *중국* / 친구가 왔어요
(2) 학교 / 돌아왔어요
(3) *서울역*에서 출발했어요
(4) *태국* 여행에서 돌아왔어요

4. (1) 영화를 봤어요. 재미있었어요
(2) *삼계탕*을 먹었어요. 맛있었어요
(3) 주말에 뭘 했어요 / 이사를 했어요. 힘들었어요

과제 2 Task 2

- 읽기와 쓰기 Reading & Writing

1. (1) *용산전자상가*에 갔어요.
(2) ①-㉯, ②-㉮
(3) ㉯

2. (1) ㉰
(2) *경복궁*과 *남산*을 구경했어요.
(3) *한복*과 *한국* 전통 인형을 샀어요.

과제 3 Task 3

- 듣기 Listening

1. (1) ㉯
(2) ㉰
(3) ㉮

2. (1) ㉯
(2) ㉯

3. (1) *마트*에 갔어요.
(2) *라면*과 과일을 샀어요.

Unit 08

백화점 정문 앞에서 세 시에 만나요.

Let's meet at 3 o'clock in front of the department store.

준비 Warming Up

(2) ㉵
(3) ㉱
(4) ㉳
(5) ㉴
(6) ㉰
(7) ㉮
(8) ㉯
(9) ㉱

문형 연습 Pattern Practice

1. (1) 을 좋아하세요
(2) *일본*에 돌아가세요
(3) 시간이 있으세요

(4) 이번 여름에 휴가를 떠나세요

2. (1) 한국 영화를 볼래요 / 한국 영화를 봐요
   (2) 같이 경복궁에 갈래요 / 경복궁에 가요
   (3) 이번 주말에 같이 코엑스에 갈래요 / 코엑스에 가요

3. (1) 영화를 볼까요 / 코엑스, 영화를 봐요
   (2) 쇼핑할까요 / 동대문시장, 쇼핑해요
   (3) 어디서 밥을 먹을까요 / 일식당에서 (밥을) 먹어요
   (4) 어디서 커피를 마실까요 / 스타벅스에서 (커피를) 마셔요

4. (1) 세수하고 아침을 먹어요
   (2) 저녁을 먹고 차를 마셔요
   (3) 일이 끝나고 운동을 해요

과제 2 Task 2
- 읽기와 쓰기 Reading & Writing

1. (1) ⑥, ①, ③, ②, ⑤, ⑧
   (2) ㉰

2. (1) ㉯
   (2) 민우 씨와 민우 씨 여자 친구와 맥주를 마셨어요.

과제 3 Task 3
- 듣기 Listening

1. (1) ㉯
   (2) ㉮
   (3) ㉰

2. ②, ⑤, ④, ①

3. (1) 점심
   (2) 12, 기숙사 앞
   (3) 같이 점심을 먹어요

Unit 09
2호선에서 3호선으로 갈아타야 해요.
You should transfer from subway Line 2 to Line 3.

준비 Warming Up
(2) ㉮
(3) ㉰
(4) ㉲
(5) ㉯
(6) ㉳
(7) ㉴
(8) ㉶
(9) ㉵

문형 연습 Pattern Practice
1. (1) 타야 해요
   (2) 먹어야 해요
   (3) 신분증을 준비해야 해요
   (4) 이름과 주소를 써야 해요
   (5) 책을 돌려줘야 해요

2. (1) 과자를 만들어서 친구에게
   (2) 마트에 가서 라면을
   (3) 자장면을 시켜서 먹었어요
   (4) 선물을 사서 보냈어요
   (5) 메모를 해서 책상 위에 놓았어요

3. (1) 가면 돼요
   (2) 놓으면 돼요
   (3) 신분증을 준비하면 돼요
   (4) 검정색 옷을 입으면 돼요

4. (1) 은 어떻게 가요 / 로 가면 돼요
   (2) 는 어떻게 가요 / 로 가면 돼요
   (3) 남산은 어떻게 가요 / 지하철로 가면 돼요

과제 2 Task 2
- 읽기와 쓰기 Reading & Writing

1. (1) ㉮
   (2) ㉰
   (3) 충무로, 4호선, 4호선

2. (1) 내일 저녁에 마이클 씨 생일 파티가 있어요.
   (2) 2호선, 합정역, 6호선
   (3) ㉯

과제 3 Task 3
- 듣기 Listening

1. (1) ㉰
   (2) ㉯
   (3) ㉮

2. (1) O
   (2) X
   (3) X

3. (1) 식사를
   (2) 2, 신촌, 3

Unit 10
좀 큰 걸로 주세요.
Please give me a bigger one.

준비 Warming Up
(2) ㉯
(3) ㉱
(4) ㉶
(5) ㉴
(6) ㉳
(7) ㉵
(8) ㉲
(9) ㉮

문형 연습 Pattern Practice

1. (1) 이 청바지 얼마예요 / 칠만 구천 원이에요
   (2) 이 운동화 얼마예요 / 육만 이천 원이에요
   (3) 이 양말 얼마예요 / 삼천 원이에요
   (4) 이 *스웨터* 얼마예요 / 오만 사천 원이에요
2. (1) 이 구두를 신어 보세요
   (2) 이 가방을 메 보세요
   (3) 이 *스카프*를 해 보세요
   (4) 이 치마를 입어 보세요
3. (1) 짧은 치마
   (2) 편한 구두
   (3) 멋있는 *넥타이*
   (4) 많이 입는 *티셔츠*
   (5) 유행하는 *코트*
4. (1) 이 반바지로 주세요
   (2) 큰 것으로 주세요
   (3) 한 치수 작은 것으로 주세요
   (4) 흰색으로 주세요
   (5) 그 노란색 *티셔츠*로 주세요

과제 2 Task 2

- 읽기와 쓰기 Reading & Writing

1. (1) ㉣
   (2) ㉯
2. (1) ㉮, ㉰
   (2) ㉣

과제 3 Task 3

- 듣기 Listening

1. 청바지 - 94,000원
   티셔츠 - 17,000원
   스웨터 - 36,000원
2. (1) ㉯
   (2) ㉮
3. (1) ㉣
   (2) ㉯

Unit 11

영희 씨 계세요?

Is Yeonghee there?

준비 Warming Up

(2) ㉣
(3) ㉯
(4) ㉳
(5) ㉲
(6) ㉰

문형 연습 Pattern Practice

1. (1) 계세요
   (2) 있어요
   (3) 여보세요 / *히로* 씨 있어요(계세요)
   (4) 여보세요 / *이* 대리님 계세요
2. (1) *정수* 씨 있어요(계세요)
   (2) *사토* 있어요
   (3) *이* 선생님 계세요 / 네 (바로) 전데요
   (4) *수정* 있어요 / 네 (바로) 전데요
3. (1) *수정*인데요
   (2) *제임스*인데요
   (3) 누구세요 / 저 *김* 대리인데요
   (4) 누구세요 / 저 *진호*인데요
   (5) 누구세요 / 저 *사토*인데요
4. (1) 일 때문에
   (2) 모기 때문에
   (3) 여자 친구 때문에 *한국어*를 배워요
   (4) 친구 때문에 화가 났어요

과제 2 Task 2

- 읽기와 쓰기 Reading & Writing

1. (1) *마이클* 씨가 *미영* 씨에게 전화했어요.
   (2) ㉰
   (3) ㉣
2. (1) ㉰
   (2) ㉯
   (3) ㉰

과제 3 Task 3

- 듣기 Listening

1. (1) ㉯
   (2) ㉮
   (3) ㉮
2. (1) O
   (2) X
3. (1) 영화를 보
   (2) 1, *서울*, 앞

Unit 12

제주도에 가 봤어요?

Have you been to Jeju Island?

준비 Warming Up

(2) ㉳
(3) ㉶
(4) ㉴
(5) ㉮
(6) ㉱
(7) ㉰
(8) ㉲
(9) ㉵

문형 연습 Pattern Practice

1. (1) *KTX*를 타 봤어요 / 타 봤어요 / 못 타 봤어요
   (2) *불고기*를 먹어 봤어요 / 먹어 봤어요 / 못 먹어 봤어요
   (3) *한복*을 입어 봤어요 / 입어 봤어요 / 못 입어 봤어요
   (4) *한국*에서 여행을 해 봤어요 / 해 봤어요 / 못 해 봤어요

2. (1) 사려고 해요
   (2) 여행가려고 해요
   (3) 저녁에 *삼계탕*을 먹으려고 해요
   (4) 주말에 집에 있으려고 해요

3. (1) 사진을 찍어도 돼요 / 찍어도 돼요 / 찍으세요
   (2) 신어 봐도 돼요 / 신어 봐도 돼요 / 신어 보세요
   (3) 이 치마를 입어 봐도 돼요 / 입어 봐도 돼요 / 입어 보세요

4. (1) 어울릴 거예요
   (2) 친구가 올 거예요
   (3) 그 영화가 재미있을 거예요
   (4) 이 선물이 좋을 거예요

과제 2 Task 2

- 읽기와 쓰기 Reading & Writing

1. (1) ㉯
   (2) ㉱
   (3) 지하철을 타고 *삼성역*에서 내려서 걸어 가요.

2. (1) ㉮, ㉯
   (2) ㉱

과제 3 Task 3

- 듣기 Listening

1. (1) ㉱
   (2) ㉯

2. (1) ②, ㉰
   (2) ①, ㉯
   (3) ③, ㉮

3. (1) X
   (2) O

Listening Transcripts

Unit 01

안녕하세요? 만나서 반가워요.

Hello! Pleased to meet you.

회화 연습 1 Conversation Practice 1

가: 안녕하세요?
나: 네, 안녕하세요.
가: 저는 *히로*예요.
나: *일본* 사람이에요?
가: 네. *일본* 사람이에요.
나: 반가워요.

회화 연습 2 Conversation Practice 2

가: *영희* 씨, 학생이에요?
나: 네. 학생이에요. *히로* 씨도 학생이에요?
가: 아니요. 저는 회사원이에요.

과제 1 Task 1

- 말하기 Speaking

1. 보기

가: 이름이 뭐예요?
나: *제리 베이커*예요.
가: 어느 나라 사람이에요?
나: *미국* 사람이에요.
가: 직업이 뭐예요?
나: *기자*예요.

2. 보기

제 친구 이름은 *마이클*이에요.
마이클 씨는 *미국* 사람이에요.
마이클 씨는 영어 선생님이에요.

과제 3 Task 3

- 듣기 Listening

1. *마이클* 씨는 선생님이에요.
2. *아유미* 씨는 *일본* 사람이에요. *아유미* 씨는 회사원이에요.
3. *박미진* : 안녕하세요?
와타나베: 네, 안녕하세요? 저는 *와타나베*예요.
박미진 : 저는 *박미진*이에요. 만나서 반가워요.

Unit 02

동생이 둘 있어요.

I have two younger siblings.

회화 연습 1 Conversation Practice 1

가: 누나가 있어요?
나: 네. 누나가 하나 있어요.
가: 그럼, 형도 있어요?
나: 아니요. 없어요.

회화 연습 2 Conversation Practice 2

가: 부모님이 계세요?
나: 네. 부모님이 *파리*에 계세요. *진수* 씨도 부모님이 계세요?
가: 네. 부모님이 *부산*에 계세요. 형하고 여동생도 *부산*에 있어요.

과제 1 Task 1

- 말하기 Speaking

1. 보기

왕찡: 부모님이 어디 계세요?
존 : 부모님은 *뉴욕*에 계세요.
왕찡: 형이 있어요?
존 : 네. 형이 하나 있어요. 형도 *뉴욕*에 있어요.
왕찡: 그럼, 동생도 있어요?
존 : 네. 여동생이 *파리*에 있어요. *왕찡* 씨는요?
왕찡: 저는 오빠하고 언니가 하나 있어요. *베이징*에 있어요.

2. 보기

저는 남동생이 하나, 여동생이 하나 있어요. 남동생하고 여동생은 *베이징*에 있어요. 학생이에요. 부모님도 *베이징*에 계세요. 어머니는 선생님이에요. 아버지도 선생님이에요.

과제 3 Task 3

- 듣기 Listening

1. (1) *현우*: 저는 누나가 셋 있어요.
(2) *지영*: 저는 오빠하고 남동생이 있어요.
(3) 여자: 부모님이 계세요?
준호: 네. 부모님이 *서울*에 계세요.
2. *진수* : *나오미* 씨는 오빠가 있어요?
나오미: 네. 오빠가 하나 있어요.
진수 : 오빠가 *서울*에 있어요?
나오미: 아니요. 오빠는 *베이징*에 있어요.

3. 저는 형하고 누나가 한 명 있어요. 여동생도 있어요. 형하고 누나는 *일본*에 있어요. 여동생은 *서울*에 있어요. 부모님도 *서울*에 계세요.

Unit 03

기숙사가 어디에 있어요?

Where is the dormitory?

회화 연습 1 Conversation Practice 1

가: 집이 어디예요?
나: *신촌*이에요. *히로* 씨는요?
가: 저는 하숙집에 살아요.
나: 하숙집이 어디에 있어요?
가: 학교 근처에 있어요.

회화 연습 2 Conversation Practice 2

가: 학교가 어디에 있어요?
나: 은행 옆에 있어요.
가: 학교에 서점이 있어요?
나: 네. 있어요.

과제 1 Task 1

- 말하기 Speaking

1. 보기
학생 A: 극장이 어디에 있어요?
학생 B: 회사 맞은편에 있어요.

과제 3 Task 3

- 듣기 Listening

1. 저는 *서울*에 살아요.
2. 여자: 기숙사가 어디에 있어요?
남자: 어학당 왼쪽에 있어요.
3. 여자: 사무실에 *컴퓨터*가 있어요?
남자: 네. 있어요.
여자: *텔레비전*도 있어요?
남자: 아니요. *텔레비전*은 없어요.
4. 저는 *원룸*에 살아요. *원룸*은 *이태원*에 있어요. *원룸* 앞에 편의점하고 은행이 있어요. 근처에 극장하고 백화점도 있어요.

Unit 04

생일이 언제예요?

When is your birthday?

회화 연습 1 Conversation Practice 1

가: 시험이 언제예요?
나: 4월 22일이에요.
가: 무슨 요일이에요?
나: 수요일이에요.

회화 연습 2 Conversation Practice 2

가: *수정* 씨, 내일 시간 있어요?
나: 네. 괜찮아요.
가: 그럼, 같이 영화를 볼까요?
나: 네. 좋아요.

과제 1 Task 1

- 말하기 Speaking

1. 보기
가: 생일이 언제예요?
나: 3월 6일이에요.
가: 무슨 요일이에요?
나: 목요일이에요.
가: 그날 같이 저녁을 먹을까요?
나: 네. 좋아요.

과제 3 Task 3

- 듣기 Listening

1. (1) 여자: 시험이 무슨 요일이에요?
남자: 금요일이에요.
(2) 여자: 어린이날이 언제예요?
남자: 5월 5일이에요.
(3) 여자: 생일이 언제예요?
남자: 2월 25일이에요.
(4) 여자: *크리스마스*가 무슨 요일이에요?
남자: 일요일이에요.
2. (1) 7월 10일에 시간 있어요?
(2) 내일이 무슨 요일이에요?
3. *마이클*: *미영* 씨, 내일 시간 있어요?
미영 : 내일은 시험이에요.
마이클: 그럼, 모레 시간 있어요?
미영 : 네. 모레는 괜찮아요.
마이클: 그럼, 그날 같이 밥을 먹을까요?
미영 : 네. 좋아요.

Unit 05

취미가 뭐예요?

What is your hobby?

회화 연습 1 Conversation Practice 1

가: 존 씨는 취미가 뭐예요?
나: 저는 여행을 좋아해요. *왕찡* 씨는 취미가 뭐예요?
가: 제 취미는 음악 듣기예요.

회화 연습 2 Conversation Practice 2

가: *진수* 씨는 무슨 운동을 좋아해요?
나: 저는 축구를 좋아해요. *제인* 씨는 무슨 운동을 좋아해요?
가: 저는 수영을 좋아해요.

과제 1 Task 1

- 말하기 Speaking

1. 보기
가: 취미가 뭐예요?
나: 제 취미는 등산하기예요.
가: 저도 등산을 좋아해요. 자주 등산을 해요?
나: 주말마다 등산을 해요.
가: 그럼, 이번 주말에 같이 등산할까요?
나: 네. 좋아요.

2. 안녕하세요. 저는 *나오미*예요. 저는 음악을 좋아해요.
제 취미는 음악 듣기와 *피아노* 치기예요.
저는 *한국* 노래하고 *일본* 노래를 좋아해요.
날마다 음악을 들어요. 학교에는 *피아노*가 있어요.
금요일마다 *피아노*를 쳐요.

과제 3 Task 3

- 듣기 Listening

1. (1) 여자: *지훈* 씨, 취미가 뭐예요?
지훈: 제 취미는 요리하기예요.
(2) 남자: *미순* 씨, 취미가 뭐예요?
미순: 저는 영화를 좋아해요.
(3) 남자: *재영* 씨, 무슨 운동을 좋아해요?
재영: 저는 *테니스*를 좋아해요.

2. *미영* : *와타나베* 씨는 취미가 뭐예요?
와타나베: 저는 여행을 좋아해요.
미영 : 자주 여행을 해요?
와타나베: 방학마다 여행을 해요.

3. *마이클*: *미영* 씨, 취미가 뭐예요?
미영 : 제 취미는 등산이에요. *마이클* 씨는요?
마이클: 저도 등산을 좋아해요.
미영 : 그럼 주말에 같이 등산을 할까요?
마이클: 네. 좋아요.

Unit 06

순두부하고 된장찌개 주세요.

We'll have sundubu and doenjang jjigae, please.

회화 연습 1 Conversation Practice 1

종업원: 뭘 드릴까요?
가: *나오키* 씨, 뭘 먹고 싶어요?
나: 저는 매운 음식을 좋아해요. *김치찌개*를 먹고 싶어요.
가: 그럼, *김치찌개*하고 *냉면* 주세요.

회화 연습 2 Conversation Practice 2

가: *히로* 씨는 무슨 음식을 좋아해요?
나: 저는 *이태리* 음식을 좋아해요.
가: 무슨 *이태리* 음식을 먹고 싶어요?
나: *피자*를 먹고 싶어요.
가: 그럼 *이태리* 식당에 갈까요?

과제 1 Task 1

- 말하기 Speaking

1. 보기
종업원: 뭘 드릴까요?
가 : *수정* 씨는 뭘 좋아해요?
나 : 저는 *자장면*을 먹고 싶어요. *나오키* 씨는요?
가 : 저는 *짬뽕*을 먹고 싶어요.
나 : 그럼 *자장면* 하나, *짬뽕* 하나 주세요.
종업원: 음료수는요?
가 : 저는 *콜라*요.
나 : 저도요.

2. 보기
가: *미영* 씨는 주말에 무엇을 하고 싶어요?
나: 저는 영화를 보고 싶어요.
가: 무슨 영화를 보고 싶어요?
나: *'쿵푸 팬더'*를 보고 싶어요. *나오키* 씨는요?
가: 저는 *쇼핑*을 하고 싶어요.
나: 무엇을 사고 싶어요?
가: 옷을 사고 싶어요.

과제 3 Task 3

- 듣기 Listening

1. (1) 종업원: 뭘 드릴까요?
손님 : *비빔밥* 둘 주세요.
(2) 여자 : 뭘 먹고 싶어요?
남자 : 저는 *불고기*를 먹고 싶어요.
(3) 여자 : 뭘 먹을까요?
남자 : *냉면*을 먹을까요?

2. 종업원: 뭘 드릴까요?
남자 : *영미* 씨는 무엇을 마시고 싶어요?
여자 : 저는 *커피*를 마시고 싶어요.
남자 : 그럼 *커피*하고 *주스* 주세요.

3. 저는 *한국* 음식을 좋아해요. 매운 *비빔밥*하고 시원한 *냉면*을 좋아해요. 더운 날씨에 시원한 *냉면*을 자주 먹어요. *냉면*은 정말 맛있어요. 오늘도 *냉면*을 먹고 싶어요.

Unit 07

집에서 쉬었어요.

I relaxed at home.

회화 연습 1 Conversation Practice 1

가: *히로* 씨, 주말에 뭘 했어요?
나: 저는 *동대문시장*에 갔어요. *영희* 씨는 뭘 했어요?
가: 저는 영화를 봤어요. 재미있었어요.

회화 연습 2 Conversation Practice 2

가: *영희* 씨, 주말에 뭘 했어요?
나: 주말에 백화점에 갔어요.
가: 백화점에서 뭘 샀어요?
나: 옷과 신발을 샀어요.

과제 1 Task 1

- 말하기 Speaking

1. 보기

가: *히로* 씨, 주말에 뭘 했어요?
나: *코엑스*에서 영화를 봤어요.
가: 무슨 영화를 봤어요?
나: '놈놈놈'을 봤어요.
가: 재미있었어요?
나: 아주 재미있었어요.

과제 3 Task 3

- 듣기 Listening

1. (1) 남자: *수정* 씨, 어제 뭘 했어요?
수정: 친구하고 영화를 봤어요.
(2) 여자: *히로* 씨, 주말에 뭘 했어요?
히로: 저는 쇼핑을 했어요.
(3) 남자: *지영* 씨는 어제 수업 후에 뭘 했어요?
지영: 친구하고 식사를 했어요.

2. 남자: *왕핑* 씨, 주말에 뭘 했어요?
왕핑: 주말에 중국에서 언니가 왔어요. 같이 시내 구경을 했어요.
남자: 어디에 갔어요?
왕핑: *경복궁*하고 *동대문시장*에 갔어요.
*동대문시장*에서 옷과 가방을 샀어요.

3. 저는 어제 *마트*에 갔어요. *라면*을 사고 싶었어요. *마트*는 아주 컸어요. *라면*이 아주 쌌어요. 그리고 과일도 쌌어요. 그래서 저는 *라면*과 과일을 샀어요. 과일이 아주 맛있었어요.

Unit 08

백화점 정문 앞에서 세 시에 만나요.

Let's meet at 3 o'clock in front of the department store.

회화 연습 1 Conversation Practice 1

가: *히로* 씨, 아침에 뭐해요?
나: 저는 세수를 하고 운동을 해요. 그리고 아침을 먹어요.
영희 씨는 어때요?
가: 저는 세수하고 아침을 먹어요. 그리고 신문을 봐요.

회화 연습 2 Conversation Practice 2

가: 이번 주말에 같이 *N서울타워*에 갈래요?
나: 좋아요. 저도 한번 가고 싶었어요. 어디서 만날까요?
가: 학교 정문 앞에서 만나요.
나: 네. 좋아요.

과제 1 Task 1

- 말하기 Speaking

보기

가: 이번 주말에 같이 *인사동*에 갈까요?
나: 좋아요. 어디서 만날까요?
가: 도서관 앞에서 저녁 6시에 만나요.
나: *인사동* 구경을 하고 전통차도 마셔요.

과제 3 Task 3

- 듣기 Listening

1. (1) 여자: 어디에 가세요?
히로: 백화점에 가요.
(2) 여자: 무엇을 드세요?
히로: *김치찌개*를 먹어요.
(3) 여자: 무슨 운동을 좋아하세요?
히로: 저는 *테니스*를 좋아해요.

2. 저는 날마다 아침에 운동을 해요. *샤워*를 하고 아침을 먹어요. 그리고 옷을 입고 신문을 보고 학교에 가요.

3. *마이클*: *미영* 씨, 토요일 점심에 시간 있어요?
미영 : 네. 괜찮아요.
마이클: 그럼 같이 영화 볼래요?
미영 : 좋아요. 어디서 만날까요?
마이클: 12시에 기숙사 앞에서 만나요.
미영 : 네. 좋아요. 영화를 보고 같이 점심도 먹어요.

Unit 09

2호선에서 3호선으로 갈아타야 해요.

You should transfer from subway Line 2 to Line 3.

회화 연습 1 Conversation Practice 1

가: 여기서 *롯데월드*는 어떻게 가요?

나: 직접 가는 *버스*가 없어요. 저쪽에서 지하철을 타야 해요.
가: 어디에서 내려야 돼요?
나: 2호선 *잠실역*에서 내려서 4번 출구로 나가면 돼요.

회화 연습 2 Conversation Practice 2

가: 여기서 *인사동*은 어떻게 가요?
나: *인사동*은 *안국역*에서 가까워요.
1호선을 타고 *종로3가역*에서 3호선으로 갈아타면 돼요.
가: 시간이 얼마나 걸려요?
나: 지하철로 25분쯤 걸려요.

과제 1 Task 1

- 말하기 Speaking

보기

가: *신촌*에서 *고속터미널*까지 어떻게 가요?
나: *신촌역*에서 2호선을 타고 *을지로3가역*에서 3호선으로 갈아타야 해요. 그리고 *고속터미널역*에서 내리면 돼요.
가: *고속터미널*까지 시간이 얼마나 걸려요?
나: 35분쯤 걸려요.

과제 3 Task 3

- 듣기 Listening

1. (1) 여자: 여기서 *인사동*은 어떻게 가요?
남자: *버스*를 타면 돼요.
(2) 여자: *명동*에 가고 싶어요. 어떻게 가요?
남자: 직접 가는 *버스*가 없어요. 지하철을 타야 해요.
(3) 여자: 여기서 *코엑스*는 어떻게 가요?
남자: 교통이 불편해요. *택시*를 타세요.

2. 남자: 잠실에서 *인천공항*까지 어떻게 가요?
여자: 공항까지 직접 가는 공항 *버스*가 있어요.
남자: 어디에서 타야 해요?
여자: *잠실역* 5번 출구 앞에서 타면 돼요.
남자: 시간이 얼마나 걸려요?
여자: 1시간 반쯤 걸려요.

3. *제임스* 씨, 저 *제인*이에요. 오늘 저녁 6시에 우리 집에 오세요. 와서 같이 저녁 식사를 해요. 우리 반 친구들도 다 와요. 우리 집은 *신촌*에 있어요. 지하철 2호선을 타고 *신촌역*에서 내려서 3번 출구로 나오면 돼요. 거기서 전화하세요. 그럼 저녁에 봐요.

Unit 10

좀 큰 걸로 주세요.

Please give me a bigger one.

회화 연습 1 Conversation Practice 1

손님: 청바지 얼마예요?
점원: 98,000원(구만팔천 원)이에요.
손님: *원피스*는 얼마예요?
점원: 152,000원(십오만이천 원)이에요.

회화 연습 2 Conversation Practice 2

점원: 이 *원피스* 한번 입어 보세요.
(잠시 후)
점원: 어떠세요?
손님: 미안하지만 좀 긴 걸로 주세요.
점원: 네. 잠깐만요.

과제 1 Task 1

- 말하기 Speaking

보기

가: 저는 *한국*에서 아버지 선물을 사고 싶어요. 뭐가 좋아요?
나: 아버지는 뭘 좋아하세요?
가: *넥타이*를 좋아하세요.
나: 그래요? 그럼 백화점에 가 보세요.
백화점에는 멋있는 *넥타이*가 많이 있어요.

과제 3 Task 3

- 듣기 Listening

1. 손님: 이 *티셔츠* 얼마예요?
점원: 17,000원이요.
손님: 이 *스웨터* 얼마예요?
점원: 36,000원이요.
손님: 이 청바지 얼마예요?
점원: 94,000원이요.

2. (1) 점원: 이 가방은 어떠세요?
손님: 미안하지만, 좀 작은 걸로 주세요.
(2) 점원: 이 *티셔츠*는 어떠세요?
손님: 미안하지만, 좀 밝은 색으로 주세요.

3. 손님: 요즘 유행하는 구두가 뭐예요?
점원: 요즘 굽이 낮은 검정색 구두가 유행이에요.
이거 한번 신어 보세요.
(잠시 후)
점원: 어떠세요?
손님: 조금 작아요. 미안하지만 좀 큰 거 없어요?
그리고 저는 밝은 색을 좋아해요. 노란색으로 주세요.
점원: 네. 잠깐만 기다리세요.

Unit 11

영희 씨 계세요?

Is Yeonghee there?

회화 연습 1 Conversation Practice 1

가: 여보세요.
나: *영희* 씨세요? 저 *히로*인데요.
가: 네, *히로* 씨, 무슨 일이에요?
나: 내일 약속 때문에 전화했어요.
약속 시간을 바꾸고 싶어요.

회화 연습 2 Conversation Practice 2

가: 여보세요.
나: 저 *민수* 씨 계세요?
가: 몇 번에 거셨어요?
나: 거기 2123-1524아니에요?
가: 잘못 거셨어요.
나: 죄송합니다.

과제 1 Task 1

- 말하기 Speaking

보기

가: 여보세요.
나: *영희* 씨? 저 *제임스*인데요.
가: 네, 안녕하세요?
나: *영희* 씨, 내일 시간 있어요? 같이 *롯데월드*에 가고 싶어요.
가: 네, 좋아요.

과제 3 Task 3

- 듣기 Listening

1. (1) *미영*: 여보세요.
남자: 저, *미영* 씨 있어요?
(2) 여자: 여보세요.
남자: 저 *히로* 씨 친구인데요, *히로* 씨 좀 바꿔 주세요.
(3) 여자: 여보세요.
남자: 거기 940-2549 아니에요?

2. *수정* : 여보세요.
제임스: 저, *수정* 씨 계세요?
수정 : 네, 전데요. 누구세요?
제임스: 저 *제임스*인데요. *수정* 씨, 주말 약속 때문에 전화 했어요.
수정 : 무슨 일이 있어요?
제임스: 약속 장소를 종로로 바꾸고 싶어요.

3. *미란*: 여보세요.
영수: *미란* 씨세요? 저 영수예요.
미란: 영수 씨, 안녕하세요? 무슨 일이에요?
영수: 내일 시간 있어요? 같이 영화를 보고 싶어요.
미란: 네, 좋아요. 어디에서 만날까요?
영수: 1시에 *서울*극장 앞에서 만나요.

Unit 12

제주도에 가 봤어요?

Have you been to Jeju Island?

회화 연습 1 Conversation Practice 1

가: 여기서 담배를 피워도 돼요?
나: 아니요. 미안하지만 안 돼요.

회화 연습 2 Conversation Practice 2

가: *번지점프* 해 봤어요?
나: 아니요. 아직 못 해 봤어요.
가: 저는 이번 방학에 *번지점프*를 하려고 해요. 같이 할래요?
나: 네. 좋아요.

과제 1 Task 1

- 말하기 Speaking

안녕하세요. *나오키*예요. 저는 이번 방학에 친구하고 같이 여행을 하려고 해요. 여러분은 *제주도*에 가 봤어요? 저는 여행 책에서 *제주도* 사진을 많이 봤어요. 그렇지만 아직 못 가 봤어요. 그래서 이번 방학에 *제주도*에 가려고 해요. *제주도*는 *한라산*이 아주 유명해요. 이번에 꼭 *한라산*에 가고 싶어요. 식물원도 구경하고 바다에서 수영도 하려고 해요. 재미있을 거예요. 그리고 맛있는 음식도 많이 먹어 보고 싶어요.

과제 3 Task 3

- 듣기 Listening

1. (1) *제주도*에 가 봤어요?
(2) 같이 가도 돼요?

2. 선생님: *나오미* 씨는 *한국*에서 어디를 여행해 봤어요?
나오미: 저는 *부산*에 가 봤어요. 거기에서 *생선회*도 먹어 봤어요.
선생님: *나오키* 씨는요?
나오키: 저는 지난주에 *제주도*에 가 봤어요. *한라산*에도 가 보고 바다에서 수영도 했어요.
선생님: 네. *제주도*는 *한라산*하고 바다가 아주 유명해요. *제임스* 씨는 어디에 가 봤어요?
제임스: 저는 *경주*에 가 봤어요. 거기에서 *한국* 전통 물건들을 샀어요. 부모님께 선물하려고 해요.

3. *나오키*: *제인* 씨, 지난 주말에 뭐 했어요?
제인 : 친구하고 같이 *난타* 공연을 봤어요. 아주 재미있었어요. 그리고 거기에서 사진도 찍었어요.
나오키: 사진을 찍어도 돼요?
제인 : 극장 밖에서는 사진을 찍어도 돼요. *나오키* 씨는 주말에 뭐 했어요?
나오키: 저는 *인사동*에 갔어요. *인사동*을 구경하고 *한국* 전통차도 마셔 봤어요.

Key Grammatical Patterns Translation

G1

'-이다'는 명사와 결합하여 주어와 술어가 같다는 것을 의미한다. '-이에요'나 '-예요'는 비격식체 종결어미이다.

예 저는 학생이에요.

위 문장은 '저(I)'와 '학생(student)'은 같다는 것을 나타낸다. 앞에 있는 명사 어말의 받침 유무에 따라 받침이 있을 때는 '-이에요'를 붙이고 받침이 없을 때는 '-예요'를 붙인다. 여기서는 이름을 소개할 때 쓰였다.

예 저는 *제리 베이커*예요.

G2

'저는'에서 '저'는 1인칭 낮춤말이고 '-은/는'은 주제를 나타내는 보조사이다. 앞에 있는 명사 어말에 받침이 있으면 '-은', 받침이 없을 때는 '-는'과 결합한다. 여기서는 이름이나 신분(직업)을 나타내는 보어 '-이다'와 함께 쓰였다.

예 저는 회사원이에요. 제 동생은 학생이에요.

G3

'-이다'를 사용한 의문문에서도 G1에서 설명한 것과 마찬가지로 앞에 있는 명사 어말의 받침 유무에 따라 '-이에요?'와 '-예요?'를 구분하여 사용하며 끝을 올려 발음한다. 대답할 때는 '네. -이에요/ -예요' 또는 '아니요. -이/가 아니에요'가 된다.

G4

'-도'는 주어나 목적어 명사에 붙어서 '또, 역시' 등의 뜻을 나타낸다. 여기서는 앞 문장에서 질문한 내용을 다시 질문하는 상황에서 주격조사 '-이/가' 혹은 주제를 나타내는 보조사 '-은/는'을 대신하여 쓰였다.

예 가: 저는 학생이에요. 존 씨도 학생이에요?
나: 네. 저도 학생이에요.

G5

'-이/가'는 주격조사이며 앞에 명사 어말의 받침 유무에 따라 달리 결합한다. 받침이 있을 때는 '-이', 받침이 없을 때는 '-가'와 결합한다.

예 1) 교과서가 있어요.
2) 책상이 있어요.

한국어에서는 'I have ~'의 문장을 '있다'를 사용해서 표현한다. '있다'는 (1)사물의 존재를 나타내는 'to be there(here)' 의미 (2)'to have something.' 소유의 의미 (3)'머무르다' (to stay)의 의미가 있다.

예 1) 책상이 있어요.
2) 친구가 있어요.
3) *신라호텔*에 있어요.

G6

'-하고'는 'and'의 뜻으로 두 개의 명사를 연결하는 역할을 하며 앞에 있는 명사 어말의 받침 유무에 상관없이 사용할 수 있다. 또, 구어체에서 많이 쓰인다.

예 교과서하고 사전
사전하고 교과서

G7

① 'N에'에서 '-에'는 처소격조사로서 장소를 나타내는 명사와 함께 쓰인다. 뒤에는 '있다', '살다' 등과 같은 상태를 나타내는 용언이 오는 경우가 많다.

② '계세요(↑)'는 '있어요(→)'의 존댓말이다. 윗사람을 높일 때는 '있어요'를 쓰지 않고 '계세요'를 쓴다.

③ 'N은/는'은 주제를 나타내는 보조사이다.

G8

여기서 '-은/는'은 '대비','강조'의 뜻을 나타낸다. 앞 질문에서 "형도 있어요?"라고 했기 때문에 대답에서 "형은 없어요."라고 '대비'와 '강조'의 뜻을 담아 대답한 것이다. 'N+도'를 함께 써서 물을 때, 'N+은/는'은 '대비'를 강조하는 조사로 쓰인다.

➔ G2 '-은/는'

G9

"집이 어디예요?"는 "집이 어디에 있어요?"와 같은 의미로 "Where is your house?"와 같은 문장구조이다. 단, 여기서 '집'은 '(상대방의) 집'을 의미한다.

G10

'-은/는요?'라는 표현은 앞에서 나온 문장을 반복하지 않고 간단하게 질문할 경우 사용한다. 즉, "저는 기숙사에 살아요. 제임스 씨는 (어디에 살아)요?"라는 표현을 "저는 기숙사에 살아요. 제임스 씨는요?"로 간단히 질문할 수 있다. 영어의 "What (or How) about you?"에 해당한다.

G11

'N+은/는'은 주제를 나타내는 보조사이고 '-에 살다(to live in~)'의 비격식체 어미 '-아요'와 결합한 형태이다. 비격식체 어미 '-아요'에서 '살다'는 어간 '살'의 모음이 '아'이므로 '아'와 결합하여 '살아요'가 된다. '-에'는 장소를 나타내는 명사와 함께 사용되며 뒤에는 '살다, 있다' 등과 같은 상태를 나타내는 용언이 오는 경우가 많다.

예 서울에 살아요. 학교에 있어요.

➔ G2 '-은/는', G7 '-에 계세요'

G12

'N+이/가 어디에 있어요?'는 'N+이/가 어디예요?(➔ G9)와 같은 의미의 문장이다.

G13

'N+이/가 언제예요?'는 날짜나 시간 등을 물을 때 쓴다.

예 생일이 언제예요?

G14

'-에'는 시간을 나타내는 명사에 붙여서 특정한 때를 나타낸다. 단, '어제', '오늘', '내일', '모레' 등에는 '-에'를 사용하지 않는다.

예 오늘에(X), 내일에(X)

또한, '시간(이) 있어요?'에서 구어체에서는 대개 조사 '이'를 생략한다.

예 주말에 시간 있어요?

G15

'-이/가 무슨 요일이에요?'는 '-요일(day)'이 언제인지를 질문하는 문장이다.

예 오늘이 무슨 요일이에요?

G16

'-ㄹ/을까요?'는 주어가 '우리'인 경우, 'Shall we~?'라는 뜻으로 권유를 나타낸다. 그에 대한 대답은 '-ㅂ/읍시다'도 사용하지만 '좋아요'나 '그럽시다' 등이 자연스럽다. 어간의 어미에 받침이 없을 때는 '-ㄹ까요?'와 받침이 있을 때는 '-을까요?'와 결합한다.

예 같이 갈까요?
저녁을 먹을까요?

G17

'취미가 뭐예요?'라는 질문에 대해서는 (취미와 관련된 명사)+을/를 좋아해요 ('I like+N.')라고 대답한다.

예 가: 취미가 뭐예요?
나: 영화를 좋아해요.

G18

'무슨'은 'What kind of(무슨)+N+do you like?'에서의 'what kind'에 해당한다.

➔ '무슨+N'과 '어떤+N'

'무슨'은 불분명한 것에 대해 물어볼 때 쓴다. 어떤('which')은 사람이나 사물의 특성, 내용, 상태, 성격 등에 대해 물어볼 때 쓴다.

예 그 사람은 어떤 사람이에요?

G19

'-기'는 명사형 어미로 동사나 형용사의 어간과 결합하여 명사형으로 만드는 어미이다. 명사형을 만들 때 목적격 조사 '-을/를'을 생략하는 경우가 많다.

예 음악을 듣다 → 음악 듣기
영화를 보다 → 영화 보기
여행을 하다 → 여행하기
우표를 모으다 → 우표 모으기
피아노를 치다 → 피아노 치기

G20

'-마다'는 'every+N'의 의미. 비격식체 종결어미 '-(아/어/여)요'는 어간 어미의 모음에 따라 다음과 같이 구분 사용된다.

① 어간 어미의 모음이 'ㅏ', 'ㅗ', 'ㅑ'인 경우 ('하' 제외): -아요
예 가다 - 가요 (가 + 아 → 가)
오다 - 와요 (오 + 아 → 와)
얇다 - 얇아요 (얇 + 아 → 얇아)

② 어간 어미의 모음이 'ㅏ', 'ㅗ', 'ㅑ'가 아닌 경우: -어요
예 먹다 - 먹어요 (먹 + 어 → 먹어)
배우다 - 배워요 (배우 + 어 → 배워)
만들다 - 만들어요 (만들 + 어 → 만들어)
읽다 - 읽어요 (읽 + 어 → 읽어)
가르치다 - 가르쳐요 (가르치 + 어 → 가르쳐)
지내다 - 지내요 (지내 + 어 → 지내)

③ 어간 '하'인 경우: -여요
예 하다 - 해요 (하 + 여 → 해)
일하다 - 일해요
공부하다 - 공부해요

G21

'N+(좀) 주세요'는 '-을/를 주다'에 존경의 뜻을 나타내는 명령형 종결어미 '-세요'를 결합한 것으로 무언가를 주문하거나 부탁할 때 쓰는 표현이다. '좀'을 쓰면 좀 더 공손하게 들린다.

G22

'-고 싶다'는 동사의 어간과 결합하여 자신의 바람·희망·소망을 나타낸다.

예 비빔밥을 먹고 싶어요.

G23

'-고 싶어요?'는 '무엇/뭐/뭘(What)', '누구(를)(Whom)', '언제(When)', '어디(에)(To where)' 등의 의문사와 함께 쓰이는 경우가 많다.

G24

'ㅂ' 불규칙 형용사: '-ㄴ/은'은 형용사의 관형형 어미. 형용사 어간 어미에 받침이 있으면 '-은', 받침이 없으면 '-ㄴ'을 붙인다. 단, 'ㅂ'불규칙 형용사의 경우는 어간 어미의 'ㅂ'을 '우'로 바꾸고 관형형 어미 'ㄴ'을 붙인다.

예 맵다 → 매운 / 춥다 → 추운

G25

'-와/과' 앞에 있는 명사 어말에 받침이 있으면 '-과' 받침이 없으면 '-와'와 결합한다.

예 책과 잡지, 잡지와 책

➔ G6 '-하고'

예 책하고 잡지, 잡지하고 책

G26

1) '-에'는 장소를 나타내는 명사와 결합하여 위치를 나타낸다. 〈참고〉'-에 가다/오다'로 기억하는 것이 좋다.

예 놀이 공원에 갔어요.

2) '갔어요'는 '가다'의 비격식체 과거형이다.

➔ G27, G28 과거형

G27

'-에서'는 장소를 나타내는 명사와 결합하여 이동의 출발점을 나타낸다. 여기서는 'from~'의 의미이다.

과거형 종결어미 '-었어요'도 G20에서 본 '-어요'와 마찬가지로 동사 어간의 모음에 따라 달리 결합한다. '오다'의 경우 어간의 모음이 'ㅗ'이므로 '-았-'과 결합하여 '왔어요'가 된다.

G28

동사 또는 형용사의 과거형: 어간의 모음에 따라 '-았-','-었-'과 결합한다. 어간의 모음이 'ㅏ,ㅗ,ㅑ'인 경우 '-았-'과 결합하고, 어간의 모음이 'ㅏ,ㅗ,ㅑ'가 아닌 경우 '-었-'과 결합한다. 또한, 'N하다' 용언의 경우, 항상 '-였-'과 결합하여 축약형인 '했-'이 된다. (하였→했)

예 1) 어간의 모음이 'ㅏ, ㅗ, ㅑ'일 때:
가 + 았 → 갔-, 오 + 았 → 왔-
2) 어간의 모음이 'ㅏ, ㅗ, ㅑ'가 아닌 경우:
먹 + 었 → 먹었-, 배우 + 었 → 배웠-,
만들 + 었 → 만들었-, 가르치 + 었 → 가르쳤-,
지내 + 었 → 지냈-

G29

'-(으)세요?'는 존경의 뜻을 나타내는 의문형 종결어미. 용언의 어간에 받침이 있으면 '-으세요?'를 쓴다.

예 받침이 없을 때: 가세요?
받침이 있을 때: 읽으세요?

단, 일부 동사는 존대의 의미를 나타내는 별도의 동사가 있다.

예 먹다 - 잡수시다 (드시다)
자다 - 주무시다
있다 - 계시다
말하다 - 말씀하시다

G30

'-ㄹ/을래요?'는 '-겠어요?'나 '-고 싶어요?' 등과 같이 상대방의 의향을 물어보는 의문형으로 가까운 사람에게 쓴다. 어간에 받침이 없을 때는 '-ㄹ래요?'와 결합하고 받침이 있을 때는 '-을래요?'와 결합하여 쓴다. 이에 대한 응답인 '같이 -(아/어/여)요'는 청유형 '-ㅂ시다'와 같은 표현이다.

예 가: 지금 갈래요?
나: 네. 가요.

G31

-어요.(청유형): '-ㄹ/을까요?'는 청유를 나타내는 의문형 종결어미이다.(➔ G16) 따라서 이에 대한 응답인 '-(어/아/여)요'도 비격식체 청유형으로 상대방에게 제안을 할 때 사용한다.

예 가: 뭘 먹을까요?
나: 불고기를 먹어요.

G32

'-고'는 동사의 어간과 결합하여 행위의 순차를 나타내는 연결어미이다.

예 운동을 하고 샤워를 해요.

G33

연결어미 '-(어/아/여)야'에 '하다'가 결합하여 당위의 의미를 나타낸다. 용언 어간의 모음에 따라 '-아야','-어야','-여야' 등과 결합한다.

예 가 + 아야 해요 (→ 가야 해요)
오 + 아야 해요 (→ 와야 해요)
먹 + 어야 해요 (→ 먹어야 해요)
배우 + 어야 해요 (→ 배워야 해요)
쓰 + 어야 해요 (→ 써야 해요)
입 + 어야 해요 (→ 입어야 해요)
보내 + 어야 해요 (→ 보내야 해요)
하 + 여야 해요 (→ 해야 해요)

G34

'-(어/아/여)서'는 행위의 시간적인 순서를 나타내며 선행절과 후행절이 밀접한 관계가 있다. 선행절과 후행절의 주어가 일치

해야 한다.

예 서점에 가서 (서점에서) 책을 샀어요.

➔ G32 '-고'와의 비교

1) 친구를 만나고 영화를 봤어요.
2) 친구를 만나서 영화를 봤어요.

G35

용언의 어간에 '-(으)면'과 '되다'가 결합하여 어떤 조건인 경우에 허용된다는 의미이다. '되다' 대신에 '괜찮다'를 사용해도 된다.

예 가: 늦지 않았어요?
나: 3시까지 가면 돼요.

G36

'-(으)로'는 여기에서 교통수단(버스, 택시, 자동차 등)과 함께 쓰여 수단 · 방법을 나타낸다. 앞에 있는 명사가 모음이나 'ㄹ'로 끝나면 '-로', 그 외 자음으로 끝나는 경우 '-으로'를 쓴다.

예 -로: *버스*로, 지하철로
-으로: 여객선으로

G37

'얼마예요?'는 물건 값을 물어보는 표현이다.

예 이 가방 얼마예요?

G38

동사의 어간에 '-(어/아/여) 보다'를 붙이면 '행위의 시도'를 나타내는 표현이 된다.

예 한번 입어 보세요.
한번 써 보세요.

G39

동사의 현재 관형형은 어간에 '-는'을 붙인다. 형용사의 현재 관형형은 어간에 받침이 있으면 '-은', 받침이 없으면 '-ㄴ'을 붙인다.

예 형용사: 크다 - 큰 가방, 작다 - 작은 가방
동사: 좋아하다 - 좋아하는 색

G40

'-(으)로'는 '바꾸다' 등과 같은 단어와 함께 쓰여 '대체'의 의미를 나타낸다. '큰 걸로'는 '큰 것으로'의 구어체 축약형이다.

예 좀 작은 것으로 주세요.

G41

'여보세요'는 전화할 때 쓰는 표현으로 전화를 받은 사람이 먼저 하는 인사말로 상대방을 부를 때에도 쓴다. 다른 사람을 바꿔달라고 할 때는 '-씨, 계세요?'라고 한다. '저...'는 간투사이다.

G42

'(바로) 전데요.'는 '(바로) 저인데요.'의 축약형으로 '-ㄴ/인데요'는 연결어미 '-ㄴ데'에 종결어미 '-요'를 붙인 것이다. 여기서는 '(제가 바로) OOO입니다.'라는 의미이다.

G43

G42에서 설명한 대로 '-ㄴ/인데요'는 연결어미 '-ㄴ/인데요'에 종결어미 '-요'를 붙인 것이다. '-인데요'는 구어적으로 많이 쓰인다. '저'는 '저는'의 의미로 또는 간투사로 쓰인 것이다.

예 가: 누구세요?
나: 저 *제임스*인데요.

G44

'때문에'는 명사와 함께 결합하여 후행절의 이유를 나타낸다.

예 비 때문에 여행을 못 갔습니다.

G45

'-어/아/여 봤어요'는 '-어 보다'의 과거형(➔ G38)으로 과거의 경험을 나타낸다. 경험이 없음을 나타낼 때는 부정 · 불가능을 나타내는 '못'과 함께 쓴다.

예 가: *제주도*에 가 봤어요?
나: 아니요, 못 가 봤어요.

G46

'-(으)려고'는 동사의 어간과 결합하여 화자의 의지, 계획 등을 나타낸다. 어간 어미에 받침이 있는 경우는 '-으려고', 받침이 없는 경누는 '-려고'가 된다.

예 집에서 쉬려고 해요.
책을 읽으려고 해요.

G47

연결어미 '-(어/아/여)도'에 '되다'를 붙여서 청자의 허락을 구할 때 사용하는 질문이다. 따라서 응답은 명령형 '-(으)세요'를 쓰거나 '그럼요.' 등을 사용할 수 있다.

예 가: 들어가도 돼요?
나: 그럼요. 들어오세요.

G48

'-ㄹ/을 거예요'는 주어가 3인칭인 경우 화자의 '추측'을 나타낸다.

예 내일 비가 올 거예요.
김 선생님은 다음 주에 돌아오실 거예요.

Index

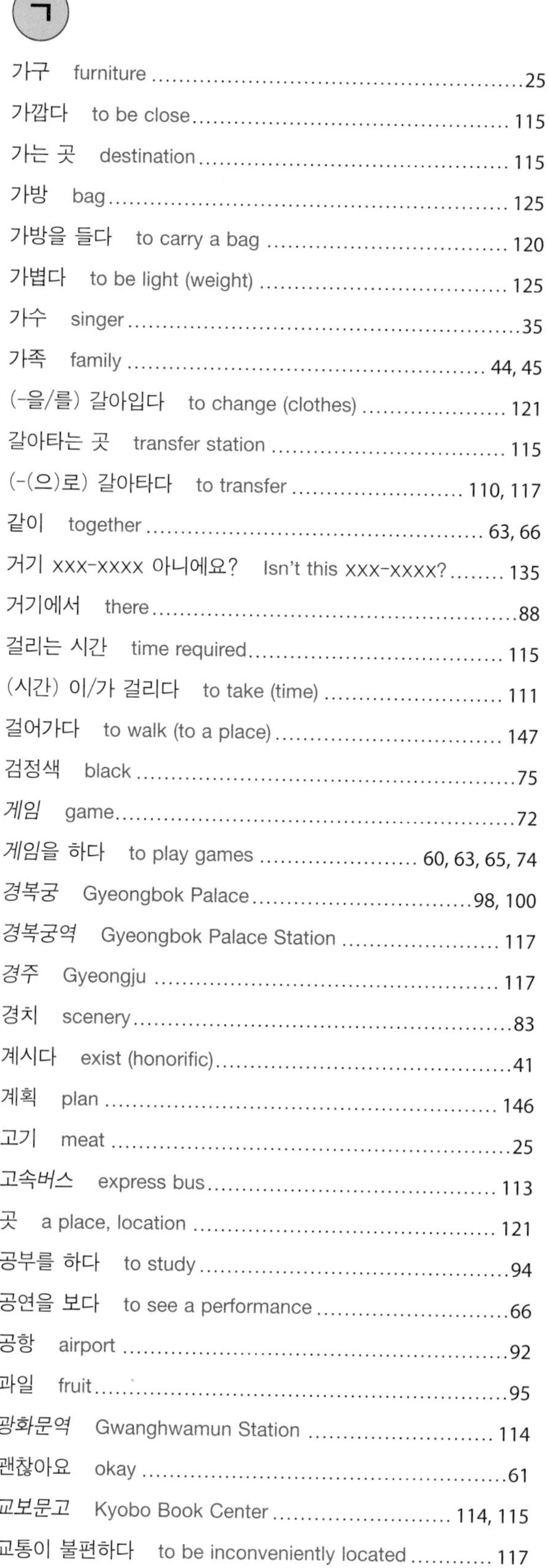

ㄷ

ㄹ

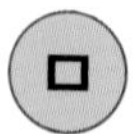

ㅂ

ㅅ

ㅇ

ㅈ

ㅊ

ㅋ

ㅌ

ㅍ

ㅎ

Etc.